Москва
2007

УДК 821.161.1-311.4+791.43(470+571)
ББК 84(2Рос=Рус)-44 + 85.374(2)
    А40

Роман написан на основе фильма «Парк советского периода».

*Авторы сценария — Эдуард Акопов, Юлий Гусман;
режиссер — Юлий Гусман.*

*Издательский дом «Гелеос» выражает благодарность
Федеральному агентству по культуре и кинематографии
и лично М. Швыдкому.*

*Также благодарим продюсерские компании «Слово», «ЮГ-ТВ»,
«А. Г. Пикчерз» за предоставленные литературные и фотоматериалы.
Фотограф — Д. Калязенский.*

*Отдельная личная благодарность — А. Голутве, С. Лазаруку,
Т. Исмаилову, А. Гайдамаку, Г. Голубенко, И. Квирикадзе,
И. Кнеллеру, И. Фридбергу.*

Акопов, Эдуард; Гусман, Юлий; Козуляев, Алексей.
Парк советского периода / Эдуард Акопов, Юлий
Гусман, Алексей Козуляев. — Москва: Гелеос,
2007. — 256 с.: ил. — (*Кинороман*).

ISBN 5-8189-0788-0 (в пер.)

Знаменитый телеведущий Олег Зимин, автор культового те-
лешоу, которое вот уже много лет смотрит вся страна, награж-
ден за ударный труд неделей отдыха. И не где-нибудь, а в запо-
ведном месте — «Парке советского периода»! Здесь за ним будут ухаживать так, как если бы он был членом правительства,
космонавтом или знатным стахановцем. Однако выясняется,
что в обязательную программу отдыха входят также аттракцион «Целина», вождение горящего грузовика и принудительный
труд в ГУЛАГе. Взамен на райские кущи социалистического
отдыха Олег должен сделать хвалебный репортаж о Парке...

*Хотите узнать, чем отличается «Парк советского пери-
ода» от «Парка юрского периода»?
Наши динозавры куда страшнее!*

Эдуард Акопов

Юлий Гусман

Алексей Козуляев

1

Сквозь тяжелый сон Олегу казалось, что у него на языке заезженным рефреном все еще вертится дурацкая финальная фраза про «самую скандальную и самую честную программу нашего телевидения». Но Ржевский был милейшим собеседником. Чтобы избавиться от привязчивого эха, Олег жаловался приснившемуся ему поручику на плохой свет в студии и интриги завистников.

Гусар внимательно слушал путаные рассказы Олега и даже что-то отвечал. Но, черт возьми, разобрать его слова мешала невесть откуда звучавшая вдалеке мелодия битловского «Назад в СССР».

И вдруг загремели барабаны к бою. Поручик виновато улыбнулся и ускакал. А боевой клич гремел все громче, начиная отдаваться тупой болью в висках. Всю эту дикую какофонию звуков исторгал из себя его навороченный компьютерный будильник.

Олег просыпался медленно, словно всплывая из-подо льдов и осознавая свои реальные координаты... Первым чувством по возвращении в реальный мир стало сожаление. Он так давно не видел настоящих цветных снов, что успел забыть всю жалость расставания с ними. Следующим пришло осознание, что он не один. Ноздри щекотал запах женского тела, слегка приправленный ароматом популярных в этом сезоне духов.

Но размышления Олега на тему женских феромонов прервал рявкнувший в ухо трубный глас все той же лихо запрограммированной побудки:

— Вставайте, граф, вас ждут великие дела!

Маленькая шаловливая ручка погладила его под одеялом.

— Вставайте, граф, вас точно ждут великие дела.

Томный женский шепоток примирил его с хмурой действительностью. Олег разлепил веки. Над ним склонилось милое, совсем детское личико девушки. Олег нахмурился.

— Ты кто?

— Я?

Блондинистая Лолита чуть приподнялась на локте и обнажила свои сочные формы.

— Я — мисс «Крылья России — 2003».

— Да? И сколько тебе лет?

— Восемнадцать!

— Хоть на этом спасибо, — хмыкнул Олег.

— Разве тебя мама не учила, что нельзя ложиться в постель с незнакомыми дядями?

Блондинка хихикнула.

— Ну какой вы незнакомый... дядя! Я вас каждый вторник по телеку смотрю.

— И где я тебя... — Олег запнулся. — Где я тебя подцепил? Если это, конечно, не секрет.

Блондинка потянулась за сигаретой.

— На юбилее НТВ.

Воцарилось неловкое молчание. Воспользовавшись моментом, Олег вскочил с огромной постели и направился в ванную. У самой двери его остановил возглас девушки. Он обернулся.

— Подарите мне сто долларов с вашим автографом?

Олег от неожиданности чуть не споткнулся.

— Никогда в жизни не платил за любовь. Думаешь, уже пора?

— Что вы! За любовь я беру значительно больше.

— И где это ты видела доллары с моим автографом? Я тебе что, министр финансов США?

— Вы всем вчера раздавали! А мне не хватило. Вы обещали дома подарить.

— Э-э-э. — Олег пожал плечами. — Так то были ненастоящие доллары. И вообще они кончились.

Ритуал окончательного пробуждения у него был отрепетирован многими годами. Контрастный душ, яростная полировка зубов «Колгейтом», осмотр лица в огромном зеркале на предмет новых морщин и темных точек и тихое шипение баллончика с пеной для бритья. Но на сей раз ритуал был немного нарушен.

За спиной клацнула дверь ванной. Олег, намыливая лицо, бросил в зеркало взгляд. Это была все та же наглая любительница прекрасного. Олег сконцентрировался на бритье. Краем глаза он видел, что девица разглядывает его кондиции так, словно готовится купить породистого коня. Он не выдержал и кашлянул. Блондинка засмеялась.

Отражение в зеркале явно жаждало сострадания. Олег протяжно и сочувственно вздохнул. Надо было переключиться со вчерашнего загула. Обычно здорово помогали размышления о том, какой парфюм ему выбрать под настроение. Он пошарил взглядом по огромной подзеркальной полке, нависшей над авангардистским смесителем. Там стояло штук десять модных в этом сезоне ароматов и пара баночек с дорогущими и бесполезными японскими кремами для кожи. Сегодня настроение было вполне ноябрьским — то есть никаким. Где-то в голове даже застряла мысль, что такой антураж больше подошел бы стареющей кокотке, но Олег ее отогнал. Слишком много сил и денег он положил на эту ванную, чтобы позволять себе сомнения. Теплый мраморный пол, огромное джакузи с двумя режимами подсветки, зеркальный потолок — чего еще желать сорокалетнему мужчине в расцвете сил и творческой энергии...

Заканчивая бриться, Олег услышал, что ночная гостья, смеясь, что-то рассказывает по телефону невидимому собеседнику. Ситуация превращалась в фарс. А клоунады Олегу Зимину хватало на работе. Закончив с утренним ритуалом, он вышел из ванной и нашел в кошельке сотню «зеленых». Наглое создание продолжало болтать по его телефону, не потрудившись даже повернуться к нему лицом или одеть трусы. Олег размашисто расписался через всю купюру фломастером, подошел к девушке и, увидев на ее копчике капельку пота, звонко прилепил туда банкноту с громким воплем:

— Шоу маст гоу он!

Блондинка от неожиданности смолкла, потом поникла плечами и отлепила от задницы сувенир.

— Спа... спасибо... А дружить?

Олег хмыкнул.

— Если хочешь со мной дружить — забудь этот адрес.

...После того, как за юной любительницей гламурной жизни захлопнулась дверь, Олег продолжил ритуал сбора. Началась его приватная часть, которой не должен был видеть никто. Ему предстояло слепить маску грядущего дня.

Сухую от света телевизионных софитов и бесконечного грима кожу предстояло обработать кремом. Потом закапать «Визин» в покрасневшие то ли от выпитого вчера, то ли от усилий студийного осветителя глаза и, главное — выпить пару таблеток от головной боли.

Пока мир еще расплывался перед глазами от едких капель, а таблетки шипели в стакане, Олег почти вслепую ударил по кнопке автоответчика. Вчерашний день ворвался в комнату гортанным голосом Тимура.

— Олег, это Тимур. Осталось три дня...

Олег быстро пробросил запись к следующим сообщениям. Еще не легче... Истошные причитания дочери вперемешку с наиграно спокойным голосом бывшей жены и до раздражения участливым голосом матери.

— Папа, позвони мне, я хочу с тобой поговорить...

— Олег, я хотела бы, чтобы ты все-таки встретился с моими духовными братьями и сестрами...

— Это мама. Сыночек, ты не забыл, что у папы сегодня день рождения...

— Ах, черт... — подумал Олег. — Совсем некстати.

Отец был, пожалуй, единственным человеком, который всегда умел видеть лицо настоящего Олега Зимина. Точнее, наверное, только ему было дело до живого человека за пределами знакомого всей стране образа. Но вот только не сегодня... Черт возьми — не сегодня.

Последним было сообщение его референтки.

— Олег Николаевич, позвоните на работу.

Оно было сказано вроде бы вполне обычно. Но что-то неприятно поразило Олега. Он еще не понял, что именно. Времени на раздумья уже практически не оставалось. Олег решил послушать запись в машине и определиться.

Кое-как запихнув в себя полезный, но очень невкусный йогурт нулевой жирности и сочтя завтрак на этом законченным, Олег выглянул в окно. На улице шел все тот же вечный ноябрьский дождь. Зимину вдруг захотелось взять с собой из дома что-то теплое и очень домашнее. Он подумал и вылил остатки кофе из колбы мудреной кофейной машины в дорожную кружку с герметичной крышкой. Он купил ее лет пять назад в Штатах и практически не пользовался, понимая, что в московском потоке машин горячее содержимое обязательно расплескается или обожжет ему губы. Но сегодня был другой день.

Олег сбросил на цифровой плеер запись с автоответчика и быстро вышел на улицу. Слава богу, его «Линкольн-Навигатор» сегодня никто не «запер» в углу стоянки. Вскоре бесконечная утренняя кутерьма Ленинградского шоссе поглотила еще одну машину.

Стоя в пробке напротив «Динамо», Олег включил запись.

— Олег Николаевич, позвоните на работу...

Стоп. Что-то не так...

— Олег Николаевич...

Почему она говорит это таким блеклым голосом? Что могло там произойти?

Олег достал из кармана мобильник и быстро набрал номер.

— Нина, это я. Что случилось?

Нина сдавленным голосом сказала:

— Олег Николаевич... Тут люди...

— Какие люди?

— Они пришли и опечатали офис. Мы ведь не расплатились за аренду. Денег за последние программы нам никто не переводил...

— За сколько выпусков они нам должны?

— За полгода.

— А кто там? Кто пришел?

— Как кто? Сам административный директор телецентра...

— Чего?

— Да, сам пришел и опечатал.

— Значит, так... Скажи этому гомику, что я сейчас сам приеду и опечатаю ему задницу. Нет, не надо ничего в цивилизованной форме. Прямо так и передай — приеду и опечатаю задницу!!! Нина!

— Да, Олег Николаевич...

— Иди к секретарше генерального. Мне плевать, что ты там будешь с ней делать. Пей чай, танцуй танец живота, рассказывай анекдоты. Соблазни ее, черт возьми! Я сегодня должен обязательно увидеть генерального!

Олег ненавидящими глазами глянул вперед. До самого Белорусского вокзала простиралась неподвижная лента машин. Безысходность московских пробок отнимала силы, так нужные для грядущей «битвы с дураками». Чтобы успокоиться, Олег отвинтил крышку у прихваченной из дома кружки и вдохнул вкусный аромат эфиопского кофе. После третьего глотка обжигаю-

щей жидкости пришло решение. День выстро-
ился. Началась работа.

Темно-синий «Линкольн-Навигатор» Олега
влетел на стоянку около телецентра и резко за-
тормозил. Его любимое место сегодня было за-
нято. Там, словно издеваясь над ним, раскоря-
чился какой-то совершенно проржавевший
«Фольксваген».

«Вот он в этой сырости очень к месту... Памятник, блин», — подумал Олег, а вслух произнес:

— Шоу маст гоу он! Вашу мать!

Оставалось прилепить к лицу самую очаро-
вательную из его дежурных улыбок и шагнуть в
холодную изморось.

К новым распахивающимся дверям с про-
зрачными стеклами Олег привыкнуть не мог никак. Те, старые мутные двери Останкино были
более домашними. Он иногда очень скучал и по-
прежнему тесноватому и немного бестолковому
вестибюльчику с совершенно допотопными телефонами внутренней связи. Сегодняшнюю холодную офисную красоту хотелось побыстрее
пробежать, чтобы оказаться на старой доброй
лестнице, ведущей к милицейскому посту. Олег
замедлил шаг и почему-то посмотрел налево. Да,
именно там он стоял семнадцать лет назад, когда пришел сюда впервые. Ох, как же тогда би-
лось сердце после звонка из отдела кадров. Какие мечтания обуревали молодого Олега Зимина! И почему он сегодня помнит тот день лучше,
чем вчерашний вечер? Да и позавчерашний

тоже... Чтобы потянуть миг волнения, шевельнувший серый пепел будней, Олег у самого поста сделал вид, что ищет пропуск.

Не получилось. Молодой сержант улыбнулся голливудской улыбкой и укоризненно пробасил:

— Ну зачем же так? Пожалуйста, проходите, Олег Николаевич!

Олег последний раз скользнул взглядом по вестибюлю и мысленно опустил забрало. Слишком много ищущих взглядов ему предстояло не заметить по дороге к лифтам, но при этом нельзя было пропустить ни одного из тех, с кем надлежало поздороваться. Малейшая неточность — и вечером в баре Останкино уже судачили бы, что у Зимина все так плохо или так хорошо, что он даже людей не замечает. А это в планы Олега никак не входило.

Навстречу шел Леня Якубович. Надлежало изобразить случайный фрагмент ток-шоу «Две звезды». Водоворот людей вокруг замедлил свое течение и потек словно в рапидной съемке. Все прислушались.

Олег сделал приветственный жест рукой.

— Хей, Леня! Тут мне про тебя частушку прислали из Тамбова.

Леонид изобразил заинтересованность. Олег чуть пригнулся и вполголоса, но четко артикулируя, отчеканил:

Я рулетку покрутила.
Якубовичу дала.

В поле чуда не случилось.
Я от Лени родила!

Якубович улыбнулся в усы.

— Жалко, люди кругом. А то б я тебе рассказал, что про тебя, Олежек, поют в рязанских деревнях.

На сем мизансцена могла считаться законченной, поскольку популярные телеперсоны разошлись в противоположных направлениях. Следующая задача была проще. Чтобы потрафить Елене Ханге, достаточно было пары ремарок. Олег мысленно выкрутил в своем голосе регулятор искренности до максимальной позиции и изящно откатал обычное:

— Знаешь, видел тебя вчера по НТВ. Ты потрясающе выглядела. Просто потрясающе.

Приветственный салют встречных улыбок тоже получился неплохо.

Олег посмотрел вперед. У лифтов, как всегда, толпился народ. Кажется, остаток пути предстояло проделать без приключений. И вот тут, где-то в районе солнечного сплетения, прозвучал незнакомый голос:

— Олег Николаевич, можно вас на секундочку?

Зимин опустил глаза. Перед ним стояло белесое чудо мужского рода с пухлым портфельчиком в потной руке. Наверное, непрошенному незнакомцу не стоило так близко подходить к Олегу, потому что с высоты двухметрового роста Зимин видел предательски розовевшую среди жидких прядей лысину на темечке молодого человека. Словно поняв это, тот странным семенящим шагом отступил назад и начал:

— Олег Николаевич, вы получили приглашение посетить наш Парк?

Олег нахмурился. Останкино кишело такими бойцами в незабвенные девяностые, но нынче вроде бы их повывели. Поборов соблазн послать нахала к черту, Олег все же вежливо спросил:

— Какой парк?

Собеседник, запинаясь и улыбаясь невпопад, продолжил:

— Ну как же! «Парк советского периода»! Замечательно отдохнете, и, разумеется, мы будем вам очень благодарны за репортаж.

Олег вспомнил любимую фразу когда-то всевластного в Останкино финансового директора и, улыбаясь собственной шутке уголками губ, с кавказским акцентом спросил:

— Сколко?

Глядя на растерянность молодого человека во время секундной паузы, Зимин мельком вспомнил, как сам когда-то был ошарашен этой простой ремаркой хитрого грузина, увенчавшей десятиминутный монолог Олега о рейтингах и творческих задумках. Однако лысеющий юноша все же оправился.

— Видите ли... мы еще не совсем раскрутились... Трудные времена...

Для подобных халявщиков у Олега была с давних пор приготовлена шикарная домашняя заготовка.

— Нет трудных времен. Есть трудности расставания с деньгами.

Олег победно отвернулся, чтобы дошагать наконец до лифта. Но надоедливый собеседник не отставал. Он лишь чуть-чуть сменил интонацию.

— Олег Николаевич, вы меня не так поняли... Мы вас не обидим.

Олег еле сдержался, чтобы не засмеяться.

— Обидеть меня, молодой человек, трудно. Я в ВДВ служил. А вот время мое, увы, расписано до 2015 года!

Зимин оставил неудачливого сэйлсмена переваривать услышанное и быстро скрылся за дверями удачно подоспевшего лифта.

Глядя на свое отражение в зеркале, Олег подумал, что несчастный птенчик, сам того не ведая, поднял ему боевой дух до нужного градуса.

На «штабном» этаже царила обычная обстановка пересменки в языческом капище. Тонкими тенями ходили малахольные дылды-секретарши с желтоватыми то ли от загара, то ли от бесконечных диет лицами. Рядом с массивными дверями живыми статуями стояли охранники. А посреди всего этого антуража жирным божком развалился вальяжный референт генерального. Только ему было позволено нарушать тишину священнодействия. С лицом пацана, показывающего фигу маме за ее спиной, он сообщал невидимому собеседнику:

— Ну что вы... У нас губернаторы на прием в очередь пишутся. Так что придется подождать. И вам тоже. Ничего не поделаешь...

Заметив Зимина, референт сделал приветственный жест рукой. Олег дождался окончания заочного отлупа и, кивнув на самую охраняемую дверь, спросил:

— У себя?

Референт скорчил странную мину.

— Да, но занят, Олег Николаевич, очень занят!

— Чем? — ехидно спросил Олег. — Снимает с эфира лучшие передачи?

Референт ел свой хлеб не зря. Ни один мускул не дернулся на его лице. Олег чуть перегнулся через стойку и с усмешкой произнес:

— Вот ведь хозяев бог послал! Раньше от сохи присылали, потом от нефтевышки, а теперь вообще хрен знает откуда!

Референт приподнял брови и полушепотом ответил:

— Тише, Олег Николаевич! Тише! Да, ОНИ не разбираются в телевидении...

Олег поразился, насколько зримо и грамотно его собеседник накачал значимостью это округлое пустое местоимение. Следующая фраза референта звучала уже не насмешливо, а угрожающе.

— ...но ОНИ очень не любят, когда им об этом говорят. Если и дальше так пойдет, вам не только эфир перекроют, но и имущество опишут.

Олег с трудом справился с приступом холодной ярости. Перед этим халдеем срываться было нельзя.

— Правильно, на нашем дерьмовом канале все имущество дожно быть описано...

Уже у самых дверей лифта Зимин повернулся и добавил:

— И обоссано.

2

У опустевших офисов тоже есть свой запах. В них пахнет пылью, поднявшейся от сотен и тысяч листков бумаги, годами бесцельно валявшихся в шкафах и столах и вдруг внезапно потревоженных и приведенных в полный беспорядок. Именно его Олег Зимин ощутил, еще даже не повернув в коридор, ведущий к редакции. Но оскорбляло его совсем другое.

Посторонним наблюдателям трудно это понять, но для телевизионщиков граница между домашним и рабочим бытом всегда остается размытой. В этих стенах Олегу приходилось не только работать с девяти до шести, но и отсыпаться после ночных смен монтажа, праздновать успешные программы и даже искать способы развлечь играми детей своих сотрудниц, ковавших в это время в аппаратных Останкино его собственную эфирную славу. Олег понял, что сейчас он войдет в комнаты и не сможет привычным взглядом оглядеть массу мелких, но чемто памятных вещей и фотографий. Олег ускорил шаг. Еще в самом начале длинного коридора четвертого этажа он увидел, что два рабочих в спецовках тащат ему навстречу шкаф, в котором раньше хранились мастер-кассеты программ. За приоткрытой дверью его секретарша Нина на повышенных тонах говорила с каким-то мужчиной.

— Вы не имеете права без Олега Николаевича!

— Он девять месяцев не платит аренду за съемочный павильон! Девять месяцев! Все, я арестовываю имущество!

— При чем здесь аренда? Наш рейтинг — выше крыши! Вы это понимаете?

— Не надо мне вешать лапшу на уши! Вы — не в эфире! Выше крыши у вас долги вашей «крыше»! Все!

Олег стиснул зубы и ворвался в кабинет. Там стоял полный разгром. Один из рабочих волок к выходу любимое кресло Зимина. Олег перевел дух, мысленно сосчитал до трех и скомандовал трудяге:

— Поставь на место табуретку!

Тот взбрыкнул:

— Не поставлю! У меня начальник — Антон Николаевич! А вы мне не начальник!

— Во как! — вслух изумился Олег и повернулся к стоявшему у окна невысокому седоватому мужчине. — Не верю своим глазам, Антуан!

У незваного гостя нервно дернулось лицо.

— Я — Антон!

Олег подошел к окну и встал рядом с собеседником. Шторы уже сняли, и ноябрьский дождь, казалось, проник в саму комнату. Зимину стало зябко, но он отогнал от себя эту секундную слабость и продолжил.

— Взгляните на этот прекрасный мир, Антуан! В нем живут разные люди, и прекрасно уживаются друг с другом. Почему, Антуан?

— Я Антон!!!

— Вы когда-нибудь слышали такое слово: «терпимость», Антуан?

Антуан-Антон ответил ему скрипучим, но ехидным голосом:

— Вот про дома терпимости не надо! У вас только за аренду долгов — двести восемьдесят тысяч!

Олег повернулся к собеседнику и словно навис над ним.

— Терпимость... терпимость, Антуан! Вы, бывший скромный работник административно-хозяйственного отдела, с двумя неполными классами высшей партийной школы, качаете из государственной собственности такие деньги, которые не снились никакому нефтяному шейху. Из кого вы их качаете? Из меня! Я ваша курочка-ряба, у которой два золотых яйца: одно официальное, другое — черным налом! Вы же кушаете оба! А я все терплю во имя искусства. Но зачем же меня резать, Антуан?! С чем вы останетесь, когда зарежете курицу?

Зрителей у этого монолога было два: Нина и все тот же рабочий, нерешительно застывший посреди пустой комнаты с креслом в руках. Олег перешел в наступление. Он деликатно, но решительно выдернул кресло из чужих рук и уселся на него. Завершить ситуацию следовало действием, и Зимин оттолкнулся ногами и отъехал к дальней стене. Оттуда он спросил:

— С кого тогда будете деньги качать? А, Антуан?

Перформанс возымел действие. Антуан-Антон миролюбиво ответил:

— Олег Николаевич, бабки идут не мне, и вы это знаете. Бабки берет «крыша». Вы же увидите сегодня Тимура... Поговорите с ним, если не хотите попасть на «счетчик».

Олег показал на груду «бетакамов» в углу.

— Мне должны за двадцать четыре программы, Антуан!

Его собеседник развел руками:

— Скажите им об этом сами!.. И не Антуан я, а Антон! Что, трудно запомнить?

Олегом вопреки его воле овладела холодная ярость. Он подскочил к Антону и схватил его за грудки.

— Нет, Антуан, не трудно! Но вот что я думаю: в окно тебя выкинуть или придушить прямо здесь на паркете. В окно, пожалуй, эффектнее. А, Антуан?

...Этот ноябрьский полудень-полувечер как нельзя лучше подходил для похорон, разводов, скандалов и увольнений. Похоже, там, на небесах, Верховный Режиссер, наконец-то нашел фон для съемок всех драматичных эпизодов в бесчисленном море сериалов людских жизней.

Пытаясь найти место среди шикарных «Мерседесов» и «Бентли», припаркованных около Дома союзов, Олег включил щетки «дворников» на полную скорость. Наконец «Навигатор» встал в общий ряд, и Зимин устремился туда, откуда звучала траурная музыка.

Гроб был завален роскошными венками и цветами. Рядом с ним, опустив головы и закрыв лица черными вуалями, стояли две одинаково стройные женщины. У одной из них тихо подрагивали плечи. Чуть поодаль, за плечами почетного караула, расположился Тимур с охраной. Лицо горца было преисполнено подобающей моменту печали, однако временами он окидывал собравшихся довольно живым и целеустремленным взором. Разношерстной очередью пришедших проводить Стаса в последний путь руководил вышколенный пожилой распорядитель. Он двигался по залу и проникновенным голосом сообщал:

— Дамы и господа, отключите телефоны. Пожалуйста. Отключите ваши мобильные телефоны.

Олег придал лицу подобающее случаю выражение вселенского горя и подошел к своему другу Денису, стоявшему в самом конце очереди. Тот покосился на него и кивнул. Впрочем, молчание продолжалось недолго. Денис вполголоса сообщил Зимину:

— Посмотри на гроб. Тайский самшит. Раньше в таких хоронили китайских императоров и членов Политбюро!

Олег с каменным лицом ответил:

— А по-моему, в березовом лучше. Прохладнее.

Денис попытался сдержать смех. Получилось нечто похожее на приступ икоты. Дождавшись, пока товарищ успокоится, Олег уже серьезно спросил:

— А как он погиб?

— У нас в стране у бизнесменов две неизлечимые болезни — рак и взрывчатка... Он выбрал легкую смерть...

— А сколько ему было?

— Сорок четыре. А был гениальнее Генри Форда! За два года сделал миллиард. Как же это, наверное, обидно — сделать миллиард — и взлететь на воздух!

Олег пожал плечами.

— Генри Форд сделал автомобиль «Форд». А этот украл миллиард у внуков Генри Форда.

Денис повернулся к Олегу лицом.

— Олег, о покойниках либо хорошо, либо...

Олег сглотнул горькую слюну, внезапно наполнившую рот.

— Сука он, а не покойник. Кинул пол-Москвы. И мне пятьдесят штук остался должен за рекламу. Я в полном дерьме, а у него самшитовый гроб!

В лице Дениса появилось нечто, сделавшее его удивительно похожим и на референта генпродюсера, и на Антуана-Антона, и даже на утреннюю любительницу телезвезд. Он немного помолчал и резко сказал:

— Перестань! Что с тобой происходит? В последнее время ты постоянно злой!

Олег хотел было ответить Денису в той же тональности, но вдруг в тоскливое течение генделевского «Траурного менуэта» вклинился разухабистый рингтон «Черного бумера». Распорядитель нервно завертел головой. Когда он понял, откуда звучит мелодия, им на секунду овладело смятение. Звонок доносился из гроба. Однако выучка взяла свое. Старик быстро проскользнул к телу покойного, достал у него из кармана пиджака телефон и на полном автопилоте ответил на звонок.

— Нет, это не он... Он подойти не может... У него встреча... На каком уровне?

Распорядитель посмотрел под своды зала и торжественно завершил:

— На самом высшем...

Улыбнулись все. Олег заметил, что тень усмешки пробежала даже по каменным лицам охранников Тимура. Зимин бросил Денису в завершение ставшего для него неприятным разговора:

— Я к Тимуру подойду.

Денис молча пожал плечами.

Увидев приближающегося Олега, охрана чуть сдвинулась вперед, но Тимур остановил своих бодигардов неуловимым движением руки и кивнул Зимину. Сегодня Олегу определенно везло на разговоры с коротышками. Но здесь двухметровый рост Олега был не преимуществом, а, скорее, недостатком. Чтобы не выглядеть смешным, властный узколицый горец остановил его на достаточном отдалении от себя.

— Тимур... Надо поговорить.

Профессионально услышав и увидев себя со стороны, Олег не мог не отметить, что молодой бандит был неплохим психологом, что тот не преминул тут же подтвердить:

— Здравствуй, брат. Спасибо, что пришел... Какого горного орла мы потеряли... Где справедливость? Где?

Заметив, что у Тимура картинно задрожали губы, Олег подумал, что вот тут собеседник, кажется, переигрывает. Поэтому Зимин сразу перешел к делу.

— Тимур, может, сможешь подождать с деньгами? Через две недели все отдам. Телеканал со мной пока не рассчитался.

Тимур повернул голову и бросил взгляд на покойника. После секундной паузы он сурово произнес:

— Деньги — дерьмо! Но важны уважение и порядок! Один не заплатил, второй не заплатил, и нет ни уважения, ни порядка. Ты со мной согласен?

Олег замялся. Увидев это, Тимур закончил тоном, не терпящим возражений:

— Я должен все получить в срок.

Дав Олегу понять, что деловая часть разговора окончена, Тимур чуть улыбнулся и уже своим обычным голосом сказал:

— Японский ресторан «Семь самураев» на Каляевской знаешь? Жду вечером, приехали друзья с гор. Тебя они по телевизору видели, окажешь им уважение...

Олег понял, что проиграл. Отныне их отношения утратили хоть какую-то видимость равенства. Он, Олег Зимин, популярный телеведущий и бывший десантник, теперь был вассалом. А Тимур — сюзереном. В эту картинку вполне укладывалось и окончание аудиенции. Получив от охранника огромный букет роз и практически утонув в цветах, маленький феодал вскользь бросил Олегу:

— Извини, брат. Наша очередь поздравлять покойника.

Глядя вслед удаляющемуся Тимуру, Зимин ощутил горький привкус во рту. Здесь, на поверхности этого залитого бесконечным дождем города, его судьба была уже предрешена отныне на много месяцев, а может, и лет вперед. На самом деле Олег даже понятия не имел, насколько глубоко он умудрился зарыться в сложнейшие долговые хитросплетения в погоне за не знающим пощады миражом места в программной сетке телеканала.

...Олег вышел на улицу. Напротив, под козырьком входа в метро, толпились какие-то люди. Краем глаза Зимин увидел, как две девушки провинциального обличья неотрывно смотрят на него. Олег рывком метнулся к машине. Не сегодня!

«Линкольн-Навигатор» стремительно вырулил со стоянки. В боковое зеркало Олег успел заметить, как одна из поклонниц начала что-то с жаром выговаривать своей подруге. Он мог предположить, о чем они сейчас говорят, но это его совсем не забавляло. Никто из миллионов зрителей не мог увидеть реального Олега Зимина. Не мог и не должен был видеть. Для них он был обязан оставаться символом, суррогатом того самого «прекрасного далека», где у каждого было все, что только можно себе пожелать — прекрасные женщины, дорогие машины и бесконечная слава и обожание. Раньше, по молодости, Олег несколько раз пытался по простоте душевной рассказать в дружеских компаниях о том, какой тяжелый труд стоял за каждой из популярных программ, и его всегда поражало, насколько непосвященных оскорбляли эти истории. Что ж, еще вчера вечером Зимину было наплевать на эту глухую стену взаимного непонимания. Еще вчера он был далеко от невидимого водораздела. А сегодня обычный мир вдруг скачком надвинулся на него. Пуповина, соединявшая его с незримым, но таким знакомым и уютным миром телевизионного эфира, еще не была перерезана, но уже начала болезненно кровоточить.

И казавшийся ранее церемониальным и протокольным визит к отцу вдруг предстал перед Зиминым в совершенно ином свете. Олег тряхнул головой. Надо было немного успокоиться, иначе простое поздравление с днем рождения грозило перерасти в рембрандтовское «Возвращение блудного сына». Тем более что попасть в подземную обитель Николая Ивановича Зимина было далеко непросто.

Для начала нужно было войти в ненавистный Олегу мир московского метрополитена. Пусть не в самом уродливом его месте, на «Площади Революции», но все же... К счастью, станция была на удивление безлюдна.

Шагая мимо бронзовых фигур революционных солдат и матросов, замерших в напряженных позах, Олег вдруг подумал, что для тех, кто в далекие тридцатые годы спускался с тихих и одноэтажных московских улиц, сталинское метро казалось удивительным парком развлечений, «Диснейлендом». Интересно, такова ли была задумка вождя народов, не жалевшего для своего подземного детища ни мрамора, ни гранита, ни бронзы? Что ж, если так, то из него, наверное, получился бы неплохой телевизионный продюсер... Олег впервые за последние два часа смог улыбнуться.

Дежурная по станции покосилась на странного мужчину в натянутой по самые уши молодежной шапочке, но не узнала его. Ее слегка насторожило то, что он уверенным шагом шел к двери объекта 4127, но потом она успокоилась, увидев, как незнакомец без колебаний нащупал скрытый заслонкой щиток кодового замка и ввел сочетание цифр. Олег почувствовал на себе взгляд, и, перед тем, как шагнуть внутрь, обернулся и подмигнул женщине. Она была частью этого скрытого от глаз мира, но попасть за эту дверь она не смогла бы никогда. Невзрачный лист броневой стали, покрашенный суриком, отделял маленькую вселенную гражданского метрополитена от того циклопа, который пронизывал московское подземелье и уходил далеко за пределы МКАД.

Метро-2. Царство тоннелей, заканчивавшихся в подвалах обычных московских домов, подземных вентиляционных шахтах Генштаба и далеких ангарах военных аэродромов. Здесь не было пассажирского многолюдья. Зато здесь были станции-призраки, истинное предназначение которых уже забылось. Пыль, покрывавшая голые бетонные полы станций, кое-где десятилетиями хранила отпечатки кованых сапог и модных в далекие 60-е ботинок на микропорке.

Размышления Олега прервало тихое постукивание колес странного поезда-призрака, состоявшего из одного вагона. Олег посмотрел вправо. Да, это за ним. Двери распахнулись точно перед единственным пассажиром. Но Зимин уже знал — торопиться внутрь не следовало. Повинуясь издавна заведенному ритуалу, из вагона сначала вышел автоматчик и проверил у Олега документы. Двое людей на пустынном перроне не обменялись ни одним словом. Охранник просто кивнул головой и посторонился, пропуская пассажира внутрь, а потом зашел за ним в вагон.

Поезд тронулся. Предстоял долгий путь без единой остановки. Олег не стал садиться на указанное автоматчиком место, а остался стоять у двери. Снаружи проносились увитые множеством кабелей стены. Пару раз вагон гулко прогрохотал вдоль затемненных перронов. Олегу в пору его журналистской молодости приходилось видеть и немыслимый подземный комплекс атомного завода-хранилища, вырубленный в толще сибирских скал в Железногорске под Красноярском, и готовый к взлету «Буран-2», сохранявшийся во Втором монтажно-испытательном комплексе в неприкосновенности долгие 15 лет среди безудержного байконурского воровства девяностых. Когда рядом никого не было, ему всегда казалось, что все эти гиганты не были созданы людьми, доживавшими свой век где-то рядом с ним, а занесены на Землю пришельцами с далеких звезд.

Но рано или поздно эта иллюзия все равно рассеивалась.

Вот и на этот раз колеса последний раз стукнули на стыке рельсов, вагон остановился, и Олег зашагал вперед, стараясь не наступать на спутанные клубки стальной арматуры, прихотливо разбросанные по полу. Зимин знал — у этой станции нет выходов наружу. В торце вестибюля тускло светилась кабина огромного грузового лифта, который шел только вниз.

Олег вошел внутрь, и лампа в лифте вспыхнула ярче. Предстояло закрыть за собой все двери, набрать на пульте комбинацию цифр и отправиться еще на сто двадцать метров под землю.

Пока все шло по плану. Не успел Зимин додумать эту приятную мысль, как кабина дернулась и остановилась, так и не доехав до места назначения. Что ж, для этого дня перспектива сгинуть в неведомой толще земли была в самый раз. Олег похвалил себя за самоиронию и начал лихорадочно нащупывать кнопку экстренной связи. Слава богу, неведомый собеседник на другом конце провода отозвался очень быстро.

Олег не стал вслушиваться в слова из динамика и рявкнул:

— Волга-Волга, алло! Что случилось?

Динамик смущенно проскрипел:

— Да заедает, зараза. Ты кто?

— Я — Олег Зимин! Сын Зимина!

Услышав фамилию гостя, собеседник повеселел:

— Шарахни рукой по пульту!

Олег огляделся вокруг и вопросительно хмыкнул. А из динамика непоследок донеслось:

— Да не бойся ты! Мы все так делаем!

Оставалось только выбрать — мочить ли капризное устройство хуком с правой или прямым джебом с левой. Олег выбрал самый нежный вариант. Из-под панели посыпались искры. Олегу показалось, что он в сердцах не рассчитал силы и своротил металлическую коробку к чертовой матери. Как оказалось, он был не прав. В кабине вспыхнул яркий свет, она дернулась и медленно, но безостановочно поползла вниз. Немного пованивало горелой изоляцией, но главный провод, видимо, до конца еще не перегорел, и лифт все-таки сумел довезти своего единственного пассажира до нижнего уровня.

Сразу за дверью начиналась маленькая комнатка, выкрашенная казарменно-зеленой краской. Охранник даже не оторвал взгляда от потрепанного покет-бука, но строго спросил:

— Пароль?

Олег хмыкнул.

— Волга-Волга...

Охранник договорил:

— Мать родная... Проходи.

За герметичной дверью, помеченной паучьими лапками знака «Биологическая опасность», двадцатый век кончался и начиналось звездное будущее. Бронированная стеклянная стена отделяла главный лабораторный корпус от хранилища со стеллажами, тесно уставленными сотнями сверкающих двадцатилитровых бочонков из нержавеющей стали. Под потолком сложнейшей паутиной переплелись десятки труб из самых разных материалов — от чугуна до стекла. Олегу даже показалось, что где-то среди этой вермишели блеснула и золотая жилка. Почти на границе слышимости гудел невидимый трансформатор. Олег подошел поближе к стеклу и увидел двух лаборантов в серебристых скафандрах высшей биологической защиты. Они внимательно изучали надписи на бочках. Олег присмотрелся.

«Проверено 12.03.1955». «Проверено 12.03.1967». Последняя пометка — «Проверено 12.04.1999».

Один из ученых оторвался от осмотра и, как показалось Олегу, глянул в его сторону. Лица за тонированным стеклом лицевой пластины видно не было, но движения показались Зимину знакомыми. Когда спустя пару минут человек в скафандре миновал все три шлюза санобработки и уже без шлема вышел в залитую ярким светом комнату главного корпуса, Олег узнал сослуживца отца Илью Григорьевича.

— Привет академикам! Здравствуйте, Илья Григорьевич! Что случилось? Почему отец домой не едет? Что в этот раз приключилось?

Илья Григорьевич пожал плечами.

— Главный компьютер завис. Наши техники ходят вокруг него как пещерные жители. Ничего у них не получается.

Воцарилась неловкая тишина. Потом сослуживец отца с каким-то надрывом в голосе попросил:

— Сделай отцу подарок, разберись с ним, а? Ты ведь в институте считался компьютерным гением.

Олег растерялся. Но в этот момент в лабораторию вошел отец. Олегу стало легко и радостно.

— С днем рождения, папа! Вот твой любимый виски.

Вслед за бутылкой из целлофанового пакета были извлечены свертки с любимыми отцовскими деликатесами. Олег накрывал импровизированный праздничный стол и почти физически чувствовал на себе умоляющий взгляд Ильи Григорьевича. Самое ужасное, что и отец, хоть и не подавал виду, явно чего-то ждал от сына.

Олег улыбнулся.

— Давайте сначала выпьем... А потом я посмотрю, что у вас с компьютером.

Зимин-старший вытер потное красное лицо.

— Вечно какая-то хрень. Даже день рождения справить не могу!

Открыв бутылку, Зимин-младший посмотрел вверх, словно пытаясь что-то высмотреть сквозь многометровую толщу земли.

— И не надоела вам такая жизнь?

Отец развел руками.

— Это же биологический щит Родины, сынок. Мы его сорок лет ковали.

И после этих пафосных слов на лице Зимина-старшего появилась столь любимая сыном и тщательно воспроизведенная им для миллионов телезрителей саркастическая полуусмешка.

— И наковали. А теперь он никому на хрен и не нужен. Но ни уничтожить, ни хранить не можем. Денег нет.

Старики чокнулись и залпом опрокинули лафитнички с терпкой маслянистой жидкостью. Илья Григорьевич торопливо зажевал виски оливкой и с хитрым прищуром обратился к Олегу:

— Если хоть в одной из этих труб появится вот таку-усенькая дырочка — через неделю не будет Европы... Через две — Африки и Азии...

Зимин-старший внимательно посмотрел на обозначенные коллегой микроскопические размеры дырочки, утвердительно кивнул и добавил:

— А потом и Америке с Австралией придет полный и окончательный... пиздец!

Илья Григорьевич передернулся.

— Николай Иванович, я протестую против нецензурных выражений. В вашей лаборатории всегда процветал мат...

Наливая себе и товарищу по второй, Зимин-старший поднял голову, ехидно улыбнулся и подмигнул сыну:

— Поэтому наша лаборатория, Илья Григорьевич, получила Ленинскую премию, а ваша — хер! Будьте здоровы!

Наверху все так же лил дождь. Подземные странствия странным образом очистили Олега от злости и ненужной агрессии. Появилось сильное желание напиться и закончить для себя этот бесконечный день. Но принять это окончательное решение Зимину помешал писк электронного органайзера. Олег поморщился и глянул на дисплей. Через сорок минут ему надлежало занять место в жюри конкурса «Красавицы третьего тысячелетия». Ну а остаток вечера предстояло посвятить торговле мордой перед командой горных

самураев. Олег оценил ситуацию и грустно ухмыльнулся.

В зале театра, арендованного устроителями
конкурса красоты, царила атмосфера странного оживления. Олег прошел на свободное место
за судейским столом.

Юные нимфетки в возрасте от тринадцати до
пятнадцати лет дефилировали перед вспотевши-
ми от волнения ценителями и членами жюри.
При появлении особо выдающихся экземпляров
и в зале, и среди арбитров раздавалось дружное
сопение.

Олег огляделся. Его сосед справа совершенно стеклянным и масленым взглядом смотрел
вслед уходящей в дальний угол подиума лолит-
ке и вполголоса бормотал:

— Е-мое! Е-мое!

Видимо, желая разрядить обстановку, сосед
слева бодро воскликнул:

— Да уж! А попкой что выделывает!

Откуда-то из-за его могучего корпуса донеслось:

— Ну, знаете, я бы на месте их родителей...

Сосед справа наконец-то сглотнул слюну и с
елейным умилением продолжил:

— А может... Может, для девочек... это единственный шанс пробиться в люди?

Бодрячок слева снова хохотнул:

— Не в люди, а в бляди!

Раздались фанфары. Ведущий дал лихорад-
ке в зале слегка поутихнуть. Олег откинулся на

стуле и приготовился отбывать номер. Он видел, что некоторые из конкурсанток, совершенно не таясь, разглядывали его и даже старались строить ему глазки, но пока он совсем не хотел продолжения банкета.

И вот наконец конферансье объявил:

— Номер восемнадцать! Дарья Зимина!

Смешливый сосед слева отвесил Олегу дружеский тычок локтем под ребро и снова хохотнул:

— Однофамилица твоя!

Когда Зимин увидел новую участницу, у него словно что-то оборвалось внутри. Он бесстрастным тоном произнес куда-то в пространство:

— Вижу!

После этих слов он выскочил из-за стола, запрыгнул мимо секьюрити прямо на сцену и потащил свою дочь прочь из этого вертепа. Уже в дверях он услышал, как кто-то на подиуме истошно завизжал и чей-то ехидный голос отчетливо произнес:

— Я предупреждал: в жюри надо брать только «голубых»!!!

Но в общей суматохе эта народная мудрость оказалась неуслышанной.

А Олег тем временем уже сильным рывком забросил Дашу внутрь джипа и швырнул ей вслед одежду. Мощно рявкнув трехсотсильным мотором, «Навигатор» рванулся с места. Зимин рявкнул:

— Кто тебе позволил прийти в этот... гадюшник?

Даша запахнулась в куртку.

— А сам?

— Это работа! Мне за нее деньги платят!

— Я хотела с тобой посоветоваться! Звонила! Раз сто! Но ты не отец. Ты — автоответчик!

— Почему не поговорила с мамой?

Даша дернулась, словно Олег дал ей пощечину.

— Ты же знаешь, что у тебя нет жены, а у меня нет мамы!!! Для нее все эти йоги, все ее хари-кришны важнее всех нас, вместе взятых!!! Ей уже прочистили чакры по самое не балуйся! В доме — гадалки, астрологи, свечи, благовония, колокола и бритые буддистские головы! Я не хочу домой!

Даша замолчала и вдруг в голос заплакала:

— Папа, забери меня к себе!

У Олега перехватило горло. Проклятый день! Но вслух он произнес:

— Давай обсудим это завтра. Прошу тебя!

Даша выкрикнула:

— Почему завтра? Почему не сейчас, папа???

Олег молчал. Он не мог сказать дочери правду и ненавидел себя за это. И тут зазвонил его мобильный. Олег рефлекторно включил наушную гарнитуру.

— Алло! Кто это?.. А, Тимур! Привет, дорогой!

Даша с ужасом наблюдала, как становится чужим лицо отца.

— Конечно, не забыл. Уже еду. Через двадцать минут буду.

Обратная трансформация в любимого папу показалась Даше еще более ужасной. В ее ушах эхом прозвучали его слова, обращенные к ней:

— Понимаешь, доча...

Она оттолкнула Олега и закричала, давясь от рыданий:

— Понимаю... Я все понимаю! Автоответчик!

Она выпрыгнула наружу прямо в поток медленно двигавшихся в пробке автомобилей. Отчаянно завизжали на залитой дождем дороге тормоза и басовито взревели гудки десятков машин. Как назло, впереди вспыхнул зеленый свет. Олег бежал за дочерью вопреки бешено рвущимся вперед автомобилям. Он догнал ее на середине трассы, обнял и прижал к себе. И когда рев клаксонов достиг своего апогея, две маленькие фигурки посреди шоссе, не сговариваясь, повернули головы в одну сторону и с вызовом посмотрели на ближайших водителей. И тут Олег поймал себя на том, что подсознательно просчитывает самый короткий маршрут до Каляевской.

Спустя пятнадцать минут Зимин сидел рядом с Денисом в торце длинного стола напротив Тимура. Всем своим видом Денис старательно показывал, что считает инцидент на похоронах исчерпанным. Некоторое время все присутствующие уничтожали угощение молча. Тишину и покой нарушали только звуки оркестра, доигрывавшего какую-то тягучую восточную мелодию, и движения узкоглазой стриптизерши у шеста. Наконец Денис налил в узенький стаканчик себе и Олегу сакэ и тихо начал говорить прямо в ухо Олегу:

— Олег, посмотри на себя — цапаешься по любому пустяку. На студии шарахаются от тебя. Это может плохо кончиться, «загнанных лошадей пристреливают»...

Денис замолчал на пару мгновений и кинул взгляд на Тимура, а потом продолжил:

— Тебе необходимо отдохнуть!

Олег пожал плечами и опрокинул подряд два стопаря горячей японской водки.

— Видит бог, последний раз нормально отдыхал в восемьдесят пятом в Гурзуфе. Ты помнишь лагерь «Спутник» ЦК ВЛКСМ? Раскаленный песок, холодное море, вино по тридцать копеек и бабы — бесплатно?

Денис полез куда-то во внутренний карман пиджака и достал маленькую открыточку. Олег усмехнулся против воли. Рекламный буклетик был украшен плакатным изображением двух пионеров, усердно дующих в горны и надписью: «Парк советского периода». Денис помахал кусочком плотной бумаги перед носом Олега:

— Вот тут все то же самое. Поверь, это действительно потрясающий проект! Они дерут сумасшедшие бабки, но тебе предлагают халявную неделю и забашляют хорошо. Условие одно — «засветить» их в твоей программе. Кроме того, скажу по секрету, Тимур очень в этом заинтересован.

— Засветить не проблема. Отдыхать не получается...

Олег ощущал, что на голодный желудок стремительно пьянеет от сакэ. В голову лениво заползла мысль о том, что каждая нация старается придумать свой способ быстро закосеть. Американцы газируют виски содовой, французы накачивают газом вино... Додумать ему не дал Тимур.

— Что-то наш тамада давно не радовал нас своими тостами! — негромко произнес он.

Все присутствующие повернули к Олегу головы.

Олег поморщился, но встал:

— Попрошу налить! Дорогие гости, дорогие тосты продолжаются! Позвольте мне рассказать одну историю. Жил-был человек, который когда-то давным-давно продал свое лицо. Был счастлив, что его купили. Потом его попросили продать сердце. Почему нет, подумал он. Ведь за это хорошо платят! А когда он все продал, у него вдруг вырос хвост. Ему очень понравилось висеть на хвосте, дрыгать ногами и ждать аплодисментов. Так давайте поднимем тост за настоящих мужчин, у которых должны расти не хвосты, а усы!

Присутствующим тост не понравился. Тимур поднялся со своего места и громко сказал:

— Позовите Рамиза.

Подошел маленький мальчик.

— Рамиз, дорогой, скажи тост.

Рамиз залез на услужливо поставленный стул, деловито поднял рюмку с коньяком и четко произнес:

— Давайте жить дружно и никогда не ссориться!

— Какой молодец! Дай я тебя поцелую!

И Тимур заключил ребенка в объятия.

Олега накрыла вся злость этого дня. Он вполголоса сбивчиво зашептал другу:

— Почему я должен пить горячий сакэ, когда люблю холодную водку? Зачем мне сырая рыба, морские гады и деревянные палочки, если я люблю пельмени и борщ и с детства обожаю жрать их алюминиевой ложкой?

Олег с хрустом сломал японские столовые приборы и бросил обломки на стол.

Денис накрыл их рекламным буклетиком Парка так, чтобы Тимур ничего не заметил и так же шепотом откликнулся:

— Мне тоже не нравится стол. А что делать?

И, словно услышав (а может быть, и в самом деле услышав) этот диалог чутким звериным слухом, Тимур снова обратился к Олегу:

— Надо поднять еще один тост. Не молчи, тамада!

Олег, чуть покачиваясь, приподнялся, немного помолчал и начал, не отводя взгляда от хозяина праздника:

— Значит, так... Высоко в небе летел горный орел, а на склоне горы пасся козел. Увидел орел козла и схватил его. Шел охотник, увидел орла с козлом, выстрелил — и убил орла. Орел упал, а козел полетел дальше. Так выпьем же за то, чтобы орлов не убивали, а козлы не летали!

Присутствующие за столом молча смотрели на Тимура. Тот покачал головой.

— Да, Олег, что-то ты совсем не в форме. Устал, наверное. Поезжай, отдохни.

Тимур кивнул на лежавшую перед Денисом рекламку и улыбнулся уголками рта.

— Даю месяц отсрочки. Не справишься, будет тебе большой Чубайс!

Олег удивленно вскинул брови. Тимур засмеялся.

— Счетчик включу! Электрический!

ПАРК
СОВЕТСКОГО
ПЕРИОДА

3

Никогда до этого Олегу не приходилось ездить в «сто десятом» ЗИСе. Этот исполин был срисован когда-то советскими конструкторами сразу с двух машин модельного ряда 1937 года — американского «Паккарда» и нацистского «Хорьха». У прототипов было много прозвищ. И, двигаясь на величественном авто среди промышленного ландшафта, Олег понимал, что и «Император автострад» и «Фюрерваген» были не презрительными кличками, а данью державной мощи творения автомобильных дизайнеров. У того времени был свой стиль, не знавший ни границ, ни идеологических различий.

В такт размышлениям Зимина в динамиках мягко мурлыкал мужской голос:

— Представьте себе, что вы погружаетесь в подводной лодке. Глубоко-глубоко. Наверху бушуют штормы и революции, распадаются государства и финансовые империи, а у вас внизу спокойствие и тишина. Вы так измучились. Вы заслужили покой. Метод психологического по-

гружения позволит вернуться вам в «терра ме-
мори», землю ваших воспоминаний.

Олег смотрел в окно, пытаясь не заснуть под
тихий рокот мотора и шелест дождевых капель.
А голос продолжал:

— Это не какое-то определенное время. Это
пора, в которой мы все хотели бы жить — если
бы смогли. Добро пожаловать в страну воспоминаний, в Парк мечты.

На горизонте замаячил сквозь влажную пе-
лену огромный комплекс, похожий одновременно и на ТЭЦ, и на планетарий. Но ехать было еще
далеко, а накопившаяся усталость брала свое.
Засыпая, Олег еще успел подумать:

— Дешевое начало... Зачем мне это промыва-
ние мозгов под соответствующий аккомпани-
мент...

Проснулся он оттого, что ему в лицо бил яркий луч солнечного света. ЗИС величаво проез-
жал сквозь мощные раздвижные ворота. Последние капли дождя еще бились о заднее стекло
машины. А впереди... Впереди была страна солнечного света — чистая и сухая. В ней радостно
пели птицы, были выметены дорожки, покраше-
ны бордюры и аккуратно подстрижена сочная
трава. Слева деревья были скрыты буйной ки-
пенью цветов, а справа — уже плодоносили яб-
локами, отблескивавшими на солнце матовыми
боками. Серебристая девушка ласкала весло, а
за ее спиной, в глубине парка сиял древнегрече-

ской колоннадой дом-дворец, похожий на бисквитное пирожное.

На секунду у Олега захватило дух. А к машине уже бежал из будки охранника человек, одетый по последней летней моде вохровца 30-х годов — в белую гимнастерку с портупеей и металлическими пуговицами и перепоясанный широким армейским поясом. До блеска начищенные яловые сапоги пускали по сторонам озорных солнечных зайчиков, и Олег лишь спустя пару секунд смог оценить, как мастерски, без единой морщины были заправлены в горловины обшлага синих галифе с красными кантами по бокам. Белая фуражка с эмблемой парка и голубым околышем чуть залихватски венчала обаятельное доброе лицо привратника, похожего на большевика-рабочего из старых фильмов о главном. Он улыбнулся, и Зимин мимоходом заметил, как в густых пшеничных усах блеснула озорная золотая фикса.

— Здравия желаю, Олег Николаевич! А машина-то какова! На ней еще Михаил Иванович Калинин ездил, когда живой был! Вещички оставьте — доставим в лучшем виде.

Охранник похлопал машину по корпусу, будто доброго коня. ЗИС тронулся и так же неспешно направился в глубь парка. Проводив его влюбленным взглядом, вохровец продолжил:

— А вам вверх по главной нашей дороге — первый свой моцион совершать. Пока дойдете — и вспотеете, и от скверных мыслей очиститесь.

Олег подхватил наплечный планшетик с личными вещами и документами и направился в указанном направлении.

А аллея, ведущая к главному корпусу, и в самом деле была занятным местом. Олег прошел мимо знакомого броневика, с которого Ленин выступал возле Финляндского вокзала. Когда он проходил мимо, сработало невидимое реле, и тонкий подростковый дискант вождя со старой пластинки выпуска 1920 года еще раз напомнил ему о необходимости пролетарской революции. Слушая эту коротенькую речь, Олег поймал себя на мысли о том, что в нынешние телевизионные времена у человека с такой дикцией и такой внешностью не было бы никаких шансов... И тут он заметил, что напротив броневика между ветвями старой раскидистой липы «запутался» первый искусственный спутник Земли, который своим радостным «бипом» на многие десятилетия отмел у половины мира сомнения в правильности социалистического выбора.

А впереди, за флагами пятнадцати братских республик, уже виднелась арка, украшенная гордой надписью: «Парк советского периода». Олег на секунду остановился под ее сводами и присмотрелся к бабочкам, с наслаждением опылявшим цветочную клумбу, на которой среди белых мохнатых настурций было выложено красными георгинами «Слава КПСС». Лишь спустя секунду его взгляд упал на огромные санаторные шахматы с фигурами в средний человеческий рост. Здесь белым противостояли не черные, а красные фигуры. Восемь красных латышских стрелков в переднем ряду целились в застывших в той же позе солдат Добровольческой армии, белому ферзю-Деникину противостоял красный ферзь-Буденный, а красному офицеру-Фрунзе — неуловимо похожий на него усами и папахой Врангель. Олег подошел поближе. В облике красного короля был, конечно же, запечатлен вождь народов. А за его спиной уже маячил павильон «Минеральных вод СССР». Там прохаживались со смешными однорогими поильниками с эмблемой парка отдыхающие в белых элегантных старомодных чесучовых костюмах и строгих полосатых пижамах. Картину всеобщего оздоровления разнообразили дамы в смешных белых танкетках, шапочках-сеточках, шляпках-воланах и панамках. Олег увидел пару раскрытых для защиты от солнца зонтиков и внезапно вспомнил их забытую китайскую марку. Да, «Три слона». В колонны на разных уровнях были вмонтированы сияющие на солнце бронзовые краны, из которых лились целебные воды. Улыбчивые сестрички в красивых гипюровых кофточках и накрахмаленных медицинских шапочках разливали их по подставленным поильникам. Олег подошел ближе и пригляделся к табличкам над краниками: «Боржоми», «Ессентуки», «Нарзан», «Смирновская», «Бадамлы», «Джермук», «Славяновская», «Нафтуся». Олег повернул голову направо. Там тоже были таблички и тоже было многолюдно. Но текли из кранов, привернутых к огромным бочкам жидкости, скромно обозначенные как «мукузани», «саперави», «киндзмараули», «солнцедар», «агдам», «ахтамар» и даже легендарное «псоу». И пили эту амброзию не из поильничков, а из граненых стаканов и окованных серебром рогов. То, что публика в этой галерее выглядела гораздо здоровее, чем в минеральном отделении, Олега совсем не удивило.

Он двинулся дальше, вверх по лестнице к главному корпусу. На террасах справа и слева от него, насколько хватало глаз, раскинулись безмятежные картины заслуженного досуга тружеников великой страны. Смеясь, переговаривались отдыхающие с очевидными атрибутами курортной жизни. Наверное, вне этого мира все эти ракетки для бадминтона в могучих рабочих дланях, папироски, крепко зажатые девичьими пальцами, и книги Каверина выглядели бы нелепо. Но только не здесь.

Олег поднимался все выше. А откуда-то из невидимых динамиков, спрятанных в пышной растительности, на пределе слышимости все торжественнее звучало то на русском, то на немецком языке: «Все выше, выше и выше стремим мы полет наших птиц...»

И, наконец, за тяжелой министерской дверью открылся полный воздуха и света холл главного корпуса. Это был мир ярких красок и лакированных поверхностей. Здесь блестел начищенный до умопомрачения пол, по центру высилась свежевымытая мраморная скульптура «Сталин с детьми» и играли солнечными зайчиками плафоны великолепной хрустально-бронзовой люстры. Мраморные колонны поддерживали мраморный потолок с чудной росписью на нем, а стены были украшены фресками с изящными сценками из беззаботной жизни веселых отдыхающих.

А за стойкой администратора стояла Клавдия Федоровна. Олег не успел еще дочитать ее имя на алой настенной табличке, а она, отложив коллекцию экзотических бабочек, уже расплывалась в любезнейшей улыбке. И так хотелось верить, что эта пожилая, но задорная женщина влюбляется в каждого отдыхающего с момента его прибытия и обожает его до самого мига убытия!

Клавдия Федоровна обрушила на Зимина все свое радушие:

— Олег Николаевич, золотой наш, здравствуй!

— Здравствуйте!

Наманикюренная пухлая рука подтолкнула к Олегу серую книжицу.

— Вот тебе «Карта отдыхающего». Ознакомься внимательно. Если что непонятно — спроси, милок, Клавдию Федоровну. Это я буду. Подписывай, подписывай, золотце мое, это твой основной документ здесь!

К разомлевшему Олегу все же вернулись остатки бдительности.

— А за что расписываемся, Клавдия Федоровна?

— Что с правилами нашего распорядка ознакомился, ангелочек мой. А вот тебе анкетка.

Олег начал читать листок и понял, что таких полных сведений о себе не сообщал никому уже лет пятнадцать. Один пункт его особенно заинтересовал.

— А родственники за границей тут зачем?

Клавдия Федоровна лучезарно улыбнулась.

— Не хочешь, касатик, не указывай.

К стойке прошли две девушки в легких ситцевых платьях с теннисными ракетками и попросили у Клавдии Федоровны ключи от номера. Она на секунду отвлеклась от Олега, но потом продолжила:

— Лучше правда указать — они все равно дознаются! И про нацию не забудь — нацией они сильно интересуются...

Такой подход очень заинтересовал Зимина, и он вернулся к стойке.

— Подождите, подождите... Кто «они»?

Клавдия Федоровна расхохоталась и показала на «Доску почета».

— Да повара на кухне! Все выспросят, лишь бы отдыхающим угодить! Узбеку — манты, грузину — харчо. А вам — рыбу фиш...

Олег изумился.

— Почему рыбу фиш? Я же не еврей...

Клавдия Федоровна всплеснула руками.

— Знаем, знаем, что не еврей. Но рыбу фиш любите. — И, сделав Олегу «козу», она заговорщицки засмеялась. — Олег Николаевич, меню у нас каждый день новое. Вот, сегодня, например, меню столовой Совета Министров СССР за третье января 1948 года. Вот картофельные зразы. Рекомендую, их сам маршал Ворошилов обожал...

Краем глаза Олег заметил, что вниз по узкой мраморной лестнице бежит невысокий энергичный человек в пионерском галстуке. Олег едва повернул голову, а незнакомец уже распростер объятия.

— Как мы рады! Здравствуйте, здравствуйте, здравствуйте!

Приветствие было произнесено так вкусно, округло и с таким обожающим причмокиванием, что за пределами Парка Зимин уже давно заподозрил бы вечного пионера в альтернативной сексуальной ориентации. Но здесь такая мысль была абсолютно нелепой.

А Клавдия Федоровна по-прежнему заливалась соловьем.

— Это товарищ Роберт — наше все: и худрук, и физрук, а это наш новенький, Олег Николаевич Зимин.

Напор товарища Роберта изумлял. Подхватывая вещи Олега, он все так же бархатисто пел.

— Знаем, знаем, знаем, любим, любим, любим! Ждем, ждем, ждем!

Посреди этой оргии праведников Клавдия Федоровна вспомнила и о делах.

— А в какую палату поселять будем?

Товарищ Роберт жизнеутверждающе протрубил:

— В сектор членов Политбюро, конечно. Там самый лучший вид!

Чтобы добраться до этих покоев, Олегу и товарищу Роберту пришлось оседлать небольшой электрический гольф-кар. Теснота на сиденьях и вынужденная близость к худруку-физруку смутила Олега, привыкшего к куда большей дистанции от людей. Но товарищ Роберт не дал Олегу полностью ощутить дискомфорт и вполголоса доверительно сказал:

— А личные вещи, Олег Николаевич, лучше всего сдать в камеру хранения. И мобильный телефончик сдайте — у нас эти игрушки все равно не работают.

Зимин был неприятно поражен.

— Почему?

— А у нас глушилка у забора стоит. Радио глушит, а заодно и телефоны. А чего вы хорошего оттуда услышите?

— Нет, ну может, новости какие...

Роберт улыбнулся.

— Новости у нас только свои. И только хорошие.

Уже у дверей корпуса, выходя из автомобильчика, Олег вернул шутку.

— Что ж, получается, товарищ Роберт, построили коммунизм в одном отдельно взятом парке?

Роберт восторженно воскликнул в ответ:

— А чего не построить, ведь мы рождены, чтоб сказку сделать былью!

Убедившись, что его собеседник до конца прочувствовал всю возвышенность ситуации, товарищ Роберт более деловым голосом спросил:

— А иностранную валюту будете заявлять?

Олег подыграл.

— Понимаю-понимаю! От трех до восьми за незаконное хранение! В особо крупных размерах — расстрел?

Товарищ Роберт укоризненно нахмурился, но радостную искорку в глазах сохранил.

— Да нет, просто у нас тут имеет хождение полновесный советский рубль. Тот самый, 62 копейки за доллар, помните: «посторонись, советский рубль идет». Вот возьмите.

Олег посмотрел на протянутую ему пачку купюр. Несколько светло-серых сотенных, зеленые пятидесятки и даже любимцы всех советских студентов — разноцветные лиловые четвертаки. Роберт настойчиво запихнул это богатство ему в ладонь.

— Этого вам должно хватить на весь срок вашего пребывания здесь.

— А не много будет?

Роберт посерьезнел.

— Остаток заберете на память.

Несколько поворотов по коридорам, покрытым мягчайшей ковровой дорожкой, скрадывавшей шаги, — и Роберт распахнул дверь палаты со словами:

— Передаю вас в милейшие, добрейшие руки нашей Елизаветы Петровны.

Олега обволокло облако запаха «Огней Москвы», исходившее от этой красивой и приветливой дамы средних лет.

— С приездом, Олег Николаевич! Милости прошу! Добро пожаловать! — улыбнулась она. — А вот это ваша комната.

Олег вошел туда, где жаждал бы оказаться любой советский начальник, академик, космонавт или бравый чекист-разведчик 60-х годов.

Тускло поблескивал лакированный наборный пол.

Стены были забраны деревянными панелями из красного дерева.

Тут и там весьма к месту висели подобранные не без скрытого вкуса копии картин из Третьяковской галереи в вычурных рамах.

Окна в любой момент можно было затенить малиновыми шторами с тяжелыми золотыми кистями.

Единственное, что немного смутило Олега — ему с его почти двухметровым ростом пришлось примериться — не слишком ли низко висит причудливо извитая бронзовая люстра. Но слава богу, здесь все было словно сшито по его мерке.

Посреди комнаты, на столике, стояло роскошное фарфоровое блюдо с гербами, на котором возвышалась гора фруктовых даров юга с карточкой «Добро пожаловать».

По центру кровати лежала традиционная полосатая пижама с голубой ленточкой и надписью: «Приятных сновидений. Парк советского периода».

Елизавета Петровна лукавым взглядом оценила первое впечатление, которое на Олега произвела палата высшего класса, и приступила к демонстрации всех прелестей и соблазнов его номера. Маленький телевизор «Темп» на несколько мгновений показал ему на черно-белом экране и танец маленьких лебедей в интерьерах Большого театра, и бешено аплодирующих оратору делегатов партийного съезда.

Из магнитолы «Днипро» на прикроватном столике Елизавета Петровна одним поворотом верньера извлекла оптимистический голос диктора, спешащего оповестить страну еще об одном миллионе тонн зерна, засыпанном колхозниками Алтайского края в закрома Родины.

А холодильник ЗИС не преминул похвалиться иными сокровищами всенародного достояния — непобедимой мощью батонов колбасы холодного копчения, вдохновенной слезой на срезе желтого куска голландского сыра и орденоносной шеренгой упакованных в золотую фольгу бутылок «дюшеса», «крем-соды» и «мандарина», а также всенепременными черной и красной икрой в стеклянных баночках и упаковками камчатских крабов.

Елизавета Петровна светилась от восторга так, словно все эти деликатесы были выловлены, собраны и упакованы лично ею.

— А это, Олег Николаевич, праздничный заказ ко Дню тунгусского метеорита.

Сестра-хозяйка порывалась было показать ему шкафы и спальню, но Олег прервал ее и подошел к окну. За окном тихо шумело лазурное море.

— Хорошо-то как! — вздохнул он.

Елизавета Петровна в такт ответила.

— Ой, и не говорите! А когда после обеда дождичек пойдет — уж такая благодать... Особенно в сосновом бору. Чистый Шишкин.

Олег покосился на нее.

— А что, дождь обещали?

— У нас, сынок, не обещают. У нас делают. Каждый день. После обеда в тихий час. Чтобы засыпать было приятнее.

Наконец Елизавете Петровне удалось раскрыть перед Зиминым содержимое огромного платяного шкафа. Олег смотрел и невольно кивал головой, словно здороваясь с давно забытыми знакомыми. Сатиновые майки и черные трусы до колен, парусиновые туфли, белые сталинские картузы и дырчатые летние шляпы времен Никиты Сергеевича. Особняком висели светлые чесучовые костюмы и курортные френчи. Один из них сестра-хозяйка и подала Олегу.

— Вот, переодевайтесь. Все наше, отечественное, исключительно натуральное, хлопок и лен... Давайте-давайте, я не смотрю!

Олег зашел за ширму. Застегивая длинный ряд пуговиц на новом облачении, он услышал голос Елизаветы Петровны.

— А между прочим, Олег Николаевич, у нас каждый отдыхающий может быть кем угодно: и великим генсеком, и знатным дровосеком. Тут все мечты сбываются!

Вот сегодня с утра уже два Кобзона записались, а Штирлицев, не поверите, аж четыре штуки! Ну, как у вас там?

Олег встал перед зеркалом, чтобы получше приладить на голове кепку-сталинку. Елизавета Петровна всплеснула руками.

— Ну красавец, ну интеллигент, вылитый Лаврентий Павлович Берия... В молодости. Девки будут падать, как подкошенные.

Олег полушутливо приподнял бровь и, имитируя грузинский акцент, ответил:

— Ну, Елизавета Петровна, если я — Берия, то не только девки, но и все остальные, боюсь, будут падать, как подкошенные!

Сестра-хозяйка словно не услышала эту шутку, и, оглядев Зимина в новом обличье с придирчивостью Пигмалиона, заметила:

— Надо вам только хорошее пенсне подобрать!

В комнате было немного жарко, и Олег сбросил френч и картуз.

— Напряженная, должно быть, у вас работа, Елизавета Петровна. Столько людей, весь этот ежедневный карнавал. Трудно вам?

Сестра-хозяйка задумчиво проговорила:

— Да что вы, голубчик! Для нас, ветеранов, здесь — рай! А вот с молодыми кадрами пришлось повозиться, это правда. Два года учили. И боюсь, что не доучили. Два года — разве срок? Нас-то всю жизнь дрессировали!

Задушевный диалог был прерван звуками горнов и барабанов с главной аллеи. Олег поспешил на балкон. Голенастая вожатая в короткой юбке и беретике сопровождала отряд юных пионеров. Красивые, загорелые дети весело пели «Взвейтесь кострами, синие ночи». Олег прислушался — многоголосие хора и количество инструментов в сопровождении явно превышало размеры группы. Он ехидно спросил:

— Здорово поют! А оркестр где?

Елизавета Петровна покачала головой.

— Обижаете! Это запись Детского академического хора Локтева. У нас все по высшему классу!

Внезапно отряд рассыпался и окружил лысого коротышку в немного нескладных штанах, прогуливавшегося у фонтана. Сверху Олег увидел, что незнакомец погладил по голове ближайшего пионера и начал что-то рассказывать детям. Елизавета Петровна добродушно усмехнулась:

— А вот наш дорогой Никита Сергеевич... Хрущев. Все время детям про кукурузу рассказывает! А кстати, у нас можно хоть каждый день биографию менять — во вторник ты, например,

Ворошилов, а в среду Шостакович... Кухню только предупреди.

Беседа Олега и сестры-хозяйки была прервана появлением на соседнем балконе странного мужчины в длинных черных трусах ниже колен и новеньком шлеме космонавта с надписью «СССР». Он приветственно заорал:

— О! Здоровеньки булы!

Увидев его, Елизавета Петровна заторопилась.

— Ну, я побежала. Обживайтесь, дружите. Мне пора.

Сосед отсалютовал в забрало шлема.

— Привет, сосед!

— Привет, — чуть растерянно сказал Олег.

Таинственный полуголый космонавт ловко перелез на балкон к Зимину.

— Ну, давай знакомиться. Летчик-космонавт Мыкола Кырпатый. Чисто по жизни и среди пацанов — Колян. А ты хто таке?

— Олег Зимин.

— Ни, це я знаю. Я тоби по телевизору бачив. А здесь-то ты кем буде? Кем запысався?

Олег пожал плечами.

— Еще не знаю.

Микола словно загорелся.

— Слухай, братка, побудь хохлом. Ненадолго. А? Розумиешь? Я здеся единственный представитель незалежной Украины. Мени сегодня вечером тост толкать, а там, как назло, космодром освободился. Я усю жизнь мечтал... Слухай, подмени. На пару годын. Побудь яким-нибудь украинцем знаменитым. Шевченко, например.

— Тарасом Григорьевичем?

Микола засмеялся.

— Та ни. Який за «Челси» грае. А, ладно, все равно кем. Главное, чтоб с Украины. Побудешь?

Олег замялся.

— Ну, я не знаю...

Пауза оказалась ему не на пользу. Микола истолковал ее в свою пользу.

— От спасибе! От дякую! Идемо! Я тоби таки красоты покажу!

Олег с Миколой вышли из корпуса в Парк. Главная аллея была со всех сторон обрамлена гипсовыми скульптурами. Словно устремившись к светлому будущему стояли и девушка со снопом, и девушка с кроликом, и колхозница с дарами полей, и чукча с оленем, за спиной которого маячил всенепременный тракторист в комбинезоне на голое мускулистое тело, вздымавший к лазоревому небу гаечный ключ на двадцать семь. Глядя на все это великолепие, можно было согласиться с лозунгом на растяжке: «Человек — это звучит гордо!». Олег посмотрел в сторону моря. Там, высоко над гладью волн, парил какой-то смельчак на параплане. С яхт то и дело вздымались гроздья салютов, практически невидимые в сияющем свете солнца. А ох-

63

ранял все это великолепие небольшой аэростат с эмблемой Парка.

Микола не переставал восхищаться.

— От знаешь, Олежек, хде я только не побував: и на Канарах отдыхал... и в Бутырках... Везде жить можно. Но так хорошо, як тут, нигде не було!

Новоиспеченные друзья шли по аллее мимо силомеров, докторских весов и фотографов с двойниками и аляповатыми фонами. Указатели на перекрестках дорожек сообщали им, что где-то здесь Турксиб, ДнепроГЭС, целина, Магнитка и Беломорско-Балтийский канал. Олега не покидало ощущение, что среди переодетых в полосатые пижамы и курортные костюмы отдыхающих он видит множество знакомых лиц. Видит — но не может их узнать. Иногда навстречу попадались и дружинники — скромные ребята с открытыми лицами и красными повязками.

Микола шел по тропинке и дурачился — совсем как мальчишка. Он то срывал ветку туи и разминал мягкие листочки в пальцах, то обменивался с какими-то прохожими короткими ремарками и начинал заливисто хохотать. Да и Олег потихоньку начинал чувствовать, как его отпускает бешеное напряжение последних месяцев, уступая место вбитой с детства уверенности в незыблемости счастья. Ему захотелось мороженого. Именно того, в вафельных стаканчиках. Со сливочной розочкой в середине и смешной белой бумажкой, прилепленной сверху. И тут он услышал из-за поворота крик:

— Шоколадное! Крем-брюле! Эскимо на палочке для красивой дамочки!

Веселая разбитная мороженщица стояла у заиндевевшего белого ящика и смотрела на них смеющимися глазами. Олег машинально пошарил по карманам и нашел в брюках завалявшуюся современную пятирублевую монетку.

Мороженщица с любопытством уставилась на металлический кругляш.

— Ой, я сейчас умру — по-русски написано пять рублей и орел двуглавый. Никак царские-то деньги?

Олег замялся.

— Извините...

Продавщица склонила набок голову.

— По-русски хорошо говоришь, а деньги царские носишь. Белогвардеец, что ли?

Но мороженое Олегу тетка все-таки дала.

Он снял прозрачную бумажку, и им овладел совершенно детский восторг. Да — та самая сливочная розочка! И знакомый вкус лакомства. Пока обжигающе холодный кусочек таял во рту, Олег вспомнил, как он с отцом ходил в Сокольники кататься на аттракционах Луна-парка, и как однажды, стоя в жуткой очереди на автодром, он съел аж три стаканчика с этим мороженым.

Микола, наверное, вспомнил что-то из своего детства, потому что он уже стоял впереди и звал

Олега измерить свой рост и вес на «точных докторских весах» у маленького тента на обочине. Олег попытался вспомнить, сколько же стоила эта невинная забава. Да, четыре копейки. А потом — десять.

Олег подчинился Миколиному призыву и встал на весы, тут же больно получив по макушке планкой ростомера. На кусочке бумаги весовщик написал карандашом вес Олега и торжественно расписался.

Наконец новоиспеченные приятели натешились этой маленькой радостью. А впереди маячил курортный фотограф с его неизменной пыльной треногой, черной шалью и фонами с дырками для головы. На одном был изображен джигит в черкеске, оседлавший, как показалось Олегу, орловского битюга, а на втором — эскимос в малахае и унтах, сидевший на нартах. Щелк — и фотопластинка навсегда запечатлела всадника-Олега и чукчу-Миколу.

— Пить хочешь? — спросил Микола Олега, когда они выпростали головы из дырок.

— Хочу, — весело ответил Олег.

— Ну так пошли! — И неугомонный хохол потянул Зимина к колясочке на велосипедных шинах, которую венчали две трубочки с сиропом. Миловидная сатураторщица, в белом фартуке, белой шапочке и белой кружевной наколочке, предлагала всего за три копейки утолить жажду крем-содой. А двойной сироп, по ее словам, стоил всего пять копеек. Вокруг стеклянных колонок вились осы. Как только Микола, жмурясь от предвкушения, поднес ко рту граненый стакан толстого стекла с шипучей жидкостью, как крылатые насекомые ринулись на него. Олег в страхе отшатнулся.

Микола вяло махнул рукой и засмеялся:

— Не парься, братан, здесь и осы такие, что мухи не обидят!

Утолив жажду, двое друзей двинулись дальше к морю. В конце аллеи уже завиднелась кромка моря. Но на пути к ней внимание Олега привлекла группа коренастых мужчин с мясистыми багровыми шеями, самозабвенно молотившая кулаками по мягкой подушечке силомера. Они так смачно хекали и ухали при каждом ударе, что и Зимину захотелось подойти и ударить, да так, чтобы прибор выплюнул свою железку под самое небо, аккурат под подбородок жестяного лица веселого клоуна. Никогда в детстве у Олега не получалось увидеть, как после его удара глаза клоуна вспыхнут и замигают, — силенки были не те. А когда пришла сила — из парков куда-то исчезла эта забава. Но было видно, что мужикам победа над силомером была важнее, чем ему. Очередь не уменьшалась. И Олег отказался от соблазнительной мысли.

Спуск к морю начинался с площадки, обрамленной двумя небольшими ротондами. Там, в теречке, были оборудованы детские площадки, и бутузы катались на детских каруселькках и играли в песочнице.

Увидев Олега и Миколу, малыши, как по команде (а может, и была такая команда, подумал Олег), бросили свои интересные дела, достали откуда-то маленькие красные флажки и, выстроившись вниз по лестнице нестройной колонной, начали приветственно махать гостям и петь не совсем в такт:

— Пусть всегда будет солнце, пусть всегда будет небо, пусть всегда будет мама, пусть всегда буду я!

Зрелище было абсолютно северокорейским, но в это утро и оно казалось Олегу почти прекрасным.

Уже спустившись на пляж, Олег оглянулся. Дети все еще стояли на ступеньках. А ротонды, как было видно с моря, несли на себе два транспаранта и плакат. Левая перетяжка гласила: «За детство счастливое наше — спасибо, родная страна!». Правая — «Спасибо товарищу Сталину за наше счастливое детство!». А посередине недетски всевидящими взглядами смотрели вслед отдыхающим сдвоенные портреты маленьких Ленина и Сталина. «Бред какой-то», — подумал Зимин.

Микола уже вновь разделся до своих дивных семейных трусов.

— Побачь, Олежек! О це трусы так трусы! Не то шо там усяки «Труссарди» да «Версаче»! От них одна импотенция! В этих мужиком себя чувствуешь, самцом! А як же? Хищник должен быть на свободе...

Олег чуть замешкался. Пока он выпутывался из штанов, его друг стоял у самой кромки прибоя и рассуждал хозяйским тоном:

— Пять пляжей: камень, галька, ракушки, чистейший песок или дикие скалы. И температура воды от 18 до 27 градусов на выбор! И волны строго одной высоты! И птички летают строго справа налево! Ну не красота? Где еще такую купишь?

4

После тихого часа Олегу предстояли процедуры. Из длинного списка он выбрал на сегодня именно душ Шарко. Это был, пожалуй, единственный способ не размякнуть окончательно, потонув в розовом ностальгическом сиропе, а вернуть хоть частичку способности трезво и критически смотреть на мир.

Сейчас он стоял под тугими струями прохладной воды, хлеставшими его по всему телу, и повиновался нежному женскому голосу, приказывавшему то повернуться боком, то поднять руки. Отраженные и разбитые в мельчайшую пыль брызги радужными сполохами расцвечивали влажный воздух процедурной. Иногда Олег все-таки открывал глаза — и тут же закрывал. Ибо в намокшем халатике медсестра была великолепна.

Есть женщины, кажущиеся маняще обнаженными даже в бесформенных ватниках. И есть женщины, при взгляде на которых мужчине немедленно хочется не заняться с ними сексом, а именно делать много-много маленьких деток. Именно такое божество заканчивало сейчас поливать Олега из шлангов. Одновременно с щелчком рычага, выключившего подачу воды, в окно ударил закатный луч, и пар вокруг девушки снова вспыхнул радужным ореолом. Внезапно Олега посетило совершенно всепоглощающее подростковое чувство вожделения, когда слабеют и дрожат ноги, а кровь с натугой начинает протискиваться по сосудам в груди, висках и кончиках пальцев.

Из сияния донесся голос медсестры:

— Отдыхающий, можете одеваться!

— Спасибо, — ответил Олег. И совершенно искренним голосом добавил: — Это было волшебно. Кстати, а как вас зовут?

Он подошел поближе, чтобы заглянуть в глаза и в ужасе отшатнулся. На него смотрела саламандра. Только спустя пару секунд он понял, что это черные окуляры водонепроницаемых очков. Как ему показалось, медсестра помедлила, прежде чем ответить:

— В вашей процедурной карте записано: медицинская сестра Волкова Алена Ивановна.

Олег ослепительно улыбнулся, снова возвращаясь на знакомую территорию:

— Волкова Алена Ивановна, я обожаю душ Шарко. Разрешите мне принимать его два раза в день?

— За этим — к главному врачу.

— Тогда давайте вечером покатаемся на лодочке.

Ответ Алены был столь резок, что Олег даже растерялся:

— А вот за этим — к районному психиатру!

Олег растерянно вышел из физиотерапевтического корпуса. Там его ждал Микола. Мимо пронеслись три веселые девушки с поильничками, доверху налитыми минеральной водой. Увидев лицо Зимина, Микола подмигнул ему:

— Испугался? Не бойся! Здесь дивчины гарные — вечером сам увидишь. А вот медсестра твоя Волкова...

Олег вопросительно глянул на друга. Тот с видом знатока покачал головой, покрутил пальцем у виска и, понизив голос, сказал:

— Поверь — пустой номер!

Незаметно вечерело, но воздух оставался все таким же теплым и душистым, как днем. Олег и Микола молча шагали к освещенной площадке. Там в полном разгаре была шахматная битва. Мальчики в униформе Парка двигали ростовые белые и красные фигуры. Под большим цветастым зонтом вальяжно сидел судья в белоснежном костюме, а за каждым из игроков собралась большая толпа болельщиков. Лицо человека, игравшего красными, показалось Олегу знакомым. Сзади послышался голос Миколы:

— А это любимое развлечение отдыхающих — «шахматы революции». За красных здесь товарищ Карпов играет, так что белякам ловить нечего!

Двенадцатый чемпион мира узнал Зимина и приветственно кивнул ему. Олег возвратил приветствие. Микола потянул друга дальше, но Олег все-таки успел приглядеться. За спиной игрока, обдумывавшего ходы белых, было очень много отдыхающих с холеными, но очень усталыми лицами. А вот за красных болели и те, кто перевоплотился в Штирлицев, и двойники почти всех генсеков, и даже какие-то казахи или туркмены в мохнатых папахах. И лица болельщиков были куда более красными и счастливыми, чем у их оппонентов.

И дело здесь было не в идеологии. Просто прямо за их спинами в тени платанов спрятался павильончик с абсолютно однозначной надписью: «Вина СССР». Чуть левее, на газончике раскинулся импровизированный духан. Там в милом беспорядке были расстелены восточные ковры, разбросаны круглые подушки-мутаки или, как их принято называть в России, «думочки». Каким-то чудом на складках ковров еще держались граненые стаканы и глиняные кружки, почти до краев налитые терпким забродившим соком винограда. Кое-кто из зрителей даже держал в подрагивавших руках окованные серебром рога, а самые практичные, не стесняясь, накладывали себе на тарелки сыр, лаваш, фрукты, овощи и зелень. Чуть в стороне под тихое постукивание барабанов танцевал аджарский ансамбль.

Внезапно Олег заметил, что к одной из крайних бочек стоит неожиданная в этом месте очередь. Микола подошел к крайнему и шепотом что-то спросил. Тот ответил, и сияющий Микола провозгласил уже в полный голос:

— «Агдам» завезти обещали!

Олег удивился.

— И что, народ так соскучился по портвейну?

Микола помахал пальцем и хитро улыбнулся:

— По дефициту воны соскучились! По дефициту!

Друзья не стали баловаться портвешком. Тамада поднес им два рога, наполненных киндзмараули. Олег выпил вино, как воду, и начинающийся вечер расцвел новыми красками практически немедленно.

Олег показал на маленькую платановую рощу.

— А там что?

— Э-э-э! Там мисто еще то! — засмеялся Микола.

— Ну так пошли! — Олег решительно двинулся дальше.

Спустя пару минут друзья свернули под скромную, но симпатичную надпись: «Зона отдыха колхоза "Заветы Ильича". Вокруг было тихо и сумрачно. Где-то квакали лягушки. Олег сфокусировался и различил поодаль, в укромном местечке, два рыбацких силуэта. Тот, что сидел поближе, размахнулся и забросил удочку в озеро. Подсекать пришлось тут же. Было похоже, что рыба схватила приманку на лету. Олег обалдел.

— Вот это да!

Услышав голос, рыболовы оглянулись.

— Наш брат, рыболов? Рыбу ловить будете?

Микола развел руками.

— У нас удочек нема.

Дальний рыбак пожал плечами и выполнил тот же финт с моментальным выуживанием рыбы. Держа улов в руке, он назидательно произнес:

— Нет удочки — лови руками!

Олег даже возмутился:

— Как это — руками?

— А очень просто!

Ближний рыбак сунул в воду руку и вытащил жирного леща.

— Попробуй, товарищ! Тут рыбы больше, чем воды!

Олег прошел к кромке водоема и повторил опыт рыбака. Однако рука осталась пустой. Смерив его взглядом, рыболовы осуждающе закачали головами.

— Трезвый, что ли? Не-е-е, у трезвого не получится.

— Да ну вас, мужики! — буркнул Олег и посмотрел вдаль на озеро. Справа, метрах в двадцати, вырисовывались мостки лодочной станции. Пристань была накрыта парусиновым козырьком, а зеленая будочка кассы призывно манила надписью: «Стоимость проката — 20 копеек в час». Свободных лодок в этот закатный час у берега почти не было. Зато они в изобилии скользили по зеркальной глади воды. Против солнца Олегу было трудно увидеть, кто катался по озеру. Но тишину то и дело разрывали радостные возгласы и счастливый смех.

Раздался чуть слышный щелчок. Олег и Микола повернули головы налево. На деревянном пирсе вспыхнули гирлянды лампочек, украшавшие уютную старомодную танцплощадку. С лодок донеслись аплодисменты. Олег вдруг улыбнулся безмятежной детской улыбкой счастья, впервые за много лет. И уже совсем другими глазами посмотрел, поднимаясь вверх по пологому откосу берега, на идущих сверху юных туристов-пионеров. Ни горнист, ни барабанщик, шествующие впереди и наигрывавшие походный марш, не казались ему больше смешными юными клоунами. Он даже успел крикнуть им с обочины:

— Пионеры, к борьбе за светлое прошлое нашей родины будьте готовы!

И отряд юных следопытов звонко ответил:

— Всегда готовы!

И тут за пригорком раздались выстрелы и крики.

Олег и Микола переглянулись и бросились на выручку. С вершины холма им открылся вид на колхозную бахчу. Оттуда стремительно бежала группа почтенного вида мужчин. Им было трудно. Во-первых, их руки были обременены огромными полосатыми кавунами. Во-вторых, по ним нещадно палил из берданки дедок-сторож в холщовых штанах и растрепанной соломенной шляпе. После очередного фонтанчика пыли, выбитого зарядами соли из-под ног похитителей арбузов, один из них заорал:

— Дед! Имей совесть!

Дед потряс ружьем над головой:

— Геть, шалопаи!

Вся эта процессия пробежала мимо застывших в недоумении друзей. Дед вдруг остановился и обратился к Олегу:

— И вы, хлопцы, за кавунами?

Олег и Микола ответили хором:

— А можно?

Дед напоследок пальнул вслед веселой компании и неожиданно расцвел в улыбке.

— Чего же нельзя? Это ж все колхозное, народное — значит, и ваше тоже! Так что, внучата, воруйте на здоровье!

Не успели Олег и Микола отойти от деда, как резкий автомобильный гудок заставил их обернуться. По пыльной дороге, чуть подсвечивая себе путь фарами, ехала роскошная открытая «Победа». Отличные рессоры мягко несли машину по ухабам, и косые лучи солнца причудливо отражались от ее крутых боков и хромированных частей. Друзья чуть посторонились, чтобы пропустить авто, но «Победа» затормозила. Из машины навстречу Олегу шагнул лысеющий мужчина средних лет с добрыми округлыми чертами лица.

— Олег Николаевич! С приездом! Я — главврач Александр Анатольевич.

После крепкого рукопожатия главврач спросил:

— Как вам у нас?

Олег развел руками в немом восхищении.

— Нет слов!

Его собеседник лукаво улыбнулся.

— А жаль! На ваши доброжелательные слова в телевизионном эфире мы очень рассчитываем. Ведь в нашем Парке человек человеку — друг, товарищ и брат! Вы небось забыли, что это значит. А для нас это — Конституция, основной закон.

От этих слов к Олегу вернулось его привычное ехидное настроение.

— Понимаю! Человек человеку — друг, товарищ и брат на две недели с питанием.

Главврач на шпильку не среагировал, а, наоборот, с готовностью подтвердил:

— Именно!

А Олега несло:

— Все во имя человека, все во благо человека! Взрослые возвращаются в детство, дети учатся любить историю — и все вместе замечательно отдыхают. Граждане стройными колоннами шагают в наш Советский Диснейленд!

Удивительно, но и после этих слов Александр Анатольевич сохранил на лице все ту же смущенную улыбку. Он только добавил вполголоса:

— Мне больше нравится название «Парк советского периода». Вас подвезти, Олег Николаевич?

— Да нет, не надо. Спасибо, — помотал головой Олег. — Пойдем, Микола.

И друзья снова зашагали по свежей стерне.

Обогнув вершину холма, Олег и Микола вошли прямиком в арку с лепной надписью: «Закрома Родины». Внизу, насколько хватало глаз, расстилалось поле спелой, налитой пшеницы. Чуть поодаль по полю плыли комбайны и среди них сновали юркие грузовики. Тугие потоки отборного зерна с шелестом лились в кузова «полуторок». Но сжатому полю не давали отдохнуть. По следам комбайнов тянулись плуги, могучие трактора, и практически сразу в отвал ложились семена нового урожая.

До черноты загорелые трактористы и комбайнеры весело потряхивали казацкими чубами и сверкали белозубыми улыбками. Им было чему радоваться. С тока, подсвеченного прожекторами, доносилось девичье пение. Ладные, длинноногие кубанские казачки деревянными лопатами подкидывали зерно на транспортер веялки, обменивались шутками, пели и заливисто хохотали.

Увидев подошедших друзей, одна из них, похожая на молодую Клару Лучко, задорно спросила Олега:

— Товарищ отдыхающий, подсобить не желаете?

А ее подруга кокетливо стрельнула глазами в сторону Миколы и рассмеялась грудным смехом:

— А то никаких сил нет на вас, молодых и холостых, без пользы дела смотреть!

Миколу будто оса ужалила. Он порывисто шагнул вперед, но в последний момент все-таки оглянулся на Олега:

— Извини. Труба зовет.

Олег пожал плечами. С Миколой все было ясно. А вот у него на этот вечер были совсем другие планы. Надо было возвращаться к главному корпусу.

Как оказалось, чтобы попасть с западной стороны Парка на площадь, нужно было перейти через мост. Там стоял главврач и что-то показывал на карте двум отдыхающим.

Олег подошел поближе и поздоровался. Умилению его собеседника, казалось, не было границ.

— Еще раз здравствуйте, дорогой Олег Николаевич! Каким ветром вас сюда занесло?

— Надеюсь, что попутным. Шел переодеваться к ужину и неожиданно попал в центр Москвы с бассейном вместо Красной площади. И ни одной живой души кругом, даже дорогу спросить не у кого.

Главврач взял руку Олега в свои ладони и проникновенно заговорил:

— Ну дорогу то мы вам покажем. А Московский Кремль на берегу моря — наш главный хит! Турки выстроили его за 8 месяцев, все в натуральную величину. Условия проживания — как в пятизвездочном отеле. Это для тех, кто коммунистические идеалы хочет совместить с сауной, джакузи и теплым бассейном. Скоро доставят Царь-пушку, Царь-колокол. Будет роскошная церемония открытия. Прекрасная была бы кульминация для вашего репортажа.

Олег высвободил руку.

— Вы мне лучше скажите, как вы научились погодой управлять? Солнце, дождик по заказу...

— У японцев приобрели уникальное оборудование. Управляется суперкомпьютером. Этакий Старший Брат, ну вы понимаете...

Олег посмотрел в небо. Там загорались первые звезды. Он внимательно пригляделся к главврачу и сдержанно прокомментировал:

— Безумно интересно. А посмотреть можно? Тем более я компьютерщик по первой профессии.

Собеседник проникновенно сказал:

— Олег Николаевич, идите, милый мой, ужинать. Забудьте вы на пару дней о своих профессиях — первой, второй... Отдыхайте...

А отдых, благодаря Миколе, этим вечером предстоял нешуточный. Для того чтобы выполнить просьбу новоиспеченного друга и стать на пару часов хохлом, Олегу пришлось изрядно перевоплотиться. Ворот его футбольной майки с номером «7» оказался на всякий случай украшен традиционной украинской вышивкой. На голову ему нахлобучили соломенную шляпу. Вид в результате получился довольно дикий. Но

Олег успокоил себя мыслью о том, что для ужина в этом странном месте такой прикид вполне сойдет.

Столовая выглядела вполне в теме. Круглые столы с белоснежными скатертями и цветами среди мраморных колонн и барельефов. У входа уютно пристроился маленький столик диетсестры, над которым висели в аккуратных рамочках «Расписание приема пищи», «Схемы диет» и «Карты полезности витаминов». Вдалеке над маленьким полукруглым подиумом был натянут приличествующий случаю транспарант: «Хай живе ридна Украйна». Как только Олег остановил на нем свой взгляд, диетсестра приподнялась со стула и поприветствовала его.

— Добро пожаловать, товарищ Шевченко. Ласкаво просимо. Давайте я вас провожу к вашему столику.

И тут у входа откуда-то возник Микола. Вот уж его Олег точно не ожидал увидеть. Он быстро затараторил:

— Спасибо, Нинель Гавриловна! Можно, он к нам за стол сядет? У нас как раз одно место освободилось?

На самом деле Олег Зимин был немного растерян. В сегодняшнем параде иллюзий лишь процедурная сестра Алена Волкова не казалась искусно воссозданным миражом, готовым исчезнуть после того, как от него отвернешься. Чтобы не потерять ориентацию и не растаять в этом сладком мире, подобно кусочку сахара, нужно было за что-то зацепиться разумом. И вот тут из-за колонны очень кстати появились главврач и товарищ Роберт. Пока Микола продолжал что-то утрясать с диетсестрой, Олег направился к ним.

— Александр Анатольевич! У меня просьба! Я привык в Москве душ Шарко по три раза в день принимать! Бодрит, знаете!

Главврач озадаченно посмотрел на нового отдыхающего.

— Могу себе представить...

Олег протянул ему карту отдыхающего и жалобно сказал:

— А мне прописали всего один раз...

Главврач переглянулся с Робертом и улыбнулся:

— Ну, это в нашей власти.

Пока он что-то вписывал и исправлял в карте, товарищ Роберт внимательно разглядывал лицо Олега Зимина. Наконец он вкрадчиво спросил:

— Простите, вы процедуры у кого принимали?

— У Волковой Алены Ивановны.

Роберт улыбнулся:

— Вам повезло. Наша лучшая ударница, гордость коллектива. Кстати, в сегодняшней газете «Правда отдыхающего» про нее большая статья.

Физрук вручил Олегу пахнущую типографской краской газету. Там характерным «правдинским» шрифтом почти через всю первую страницу были набраны победоносные заголовки: «Золото полей орденоносного Казахстана», «Подвиг шахтеров Кузбасса», «Родины отважные сыны»... Внизу страницы, в «подвале», рядом с черно-белым фото Алены, рассказывалось и о ее трудовых достижениях. Читать текст было решительно невозможно, и Олег перевел взгляд на дату выпуска номера: 25 августа 2006 года.

Оставалось понять, что за люди пришли сегодня, чтобы разделить с ним ужин.

Только сейчас Олег смог оценить реальные размеры столовой. Помещение было огромным. Его масштабы чуть скрадывались красиво расставленными вазами и горшками с пальмами и раскидистыми фикусами, но стоило чуть приподнять взгляд — и он словно проваливался в огромные окна и балконные двери. Убранство столов было под стать великолепию отделки. Еду подавали в кремлевских сервизных тарелках с рисунками Веры Мухиной. Чешское стекло бесчисленных рюмок, фужеров и бокалов красиво поблескивало в свете хрустальных люстр. Справа и слева от каждой тарелки лежали по шесть серебряных приборов — по числу смен блюд.

«Что ж, народ должен потреблять все блага сегодняшнего дня через своих уполномоченных представителей», — подумал Олег. В отличие от своего отца, он столь близко с этим процессом не сталкивался, но теперь мог оценить всю глубину отцовского сарказма. Хотя, впрочем, в чем были виноваты сегодняшние гости Парка?»

А они представляли из себя примечательную картину. Олег оглядел ближайшие столики. Два столика были целиком заняты персонажами любимых советских фильмов. Лукаво прищурив глаз, смотрел на него товарищ Саахов, а некто в облике зельдинского пастуха из незабвенного мюзикла «Свинарка и пастух» даже помахал ему рукой. Чуть поодаль, окслабившись, сидели ударники и Герои Социалистического Труда. Там были и узбеки, и русские, и грузины — и даже, как показалось Олегу, — один китаец. На их могучих фигурах ладно сидели добротные однобортные костюмы образца 40—60-х годов, а маленькие звездочки Героев пускали солнечных зайчиков при каждом движении.

За одним из столов сидело сразу четыре Штирлица в черных костюмах СС. Глядя на элегантные френчи и галифе, Олег машинально вспомнил, что дизайнером этой формы был сам Хьюго Босс. Молодому дарованию тогда было совсем немного лет, но почерк кутюрье был очевиден.

Подошедший к Олегу Микола увидел, куда смотрит Зимин и счел нужным прокомментировать:

— Усе питерские, сейчас у них в Петербурге Штирлиц дюже в моде.

Олег на всякий случай ответил на приветствие одного из эсэсовцев и зашагал вслед за Миколой к своему столу. Там сидели... Что ж, внутренне Олег уже был готов сесть рядом с Сааховым и совсем не удивился, услышав знакомое:

— Шляпу сними! Садись пока!

Микола сделал широкой жест рукой в сторону Олега:

— Рекомендую! Наш новый сосед!

Олег оглядел стол. Рядом с Сааховым сидели еще два персонажа — Василий Иванович Чапаев и Адмирал. Оба выглядели впечатляюще. Василий Иванович лелеял свою раненую и накрепко забинтованную руку, стараясь, однако, не утратить гордую стать красного комдива. На груди у него одиноко поблескивал орден Боевого Красного Знамени. Адмирал же был живым олицетворением знаменитой мысли командора Мак-Махэна о том, что «большой флот влияет на историю самим фактом своего существования». Его присутствие за столом заставляло даже отдыхающих за соседними столами немного подтягивать животики. Олег заметил, что и женщины украдкой разглядывали его ладную фигуру и погоны с золотым шитьем.

Чапаев внимательно посмотрел на Олега и протянул ему здоровую руку.

— Кто ж не знает Зимина! Очень приятно. Василий Иванович.

Микола и тут не удержался от ремарки:

— Попрошу не путать! Вин на пару дней — Шевченко из «Милана».

Товарищ Саахов внезапно продемонстрировал прекрасное знание футбольных реалий.

— Э-э-э, Микола! Ты хотел сказать — из «Челси», наверное. Да?

Микола никак не прокомментировал это кощунственное высказывание и пожал плечами. Саахов удовлетворенно улыбнулся и снова продолжил ужин.

Олег тем временем продолжал разговор с Чапаевым.

— Что с рукой, Василий Иванович? Как говорится, «люди гибнут за Урал»?

Чапаев улыбнулся. Олегу показалось, что этот изгиб губ он уже видел где-то в новостях. Василий Иванович косвенно подтвердил его подозрения.

— Да нет, Олег. Все-таки за металл. Героям Гражданской и не снились те пули, что свистели на нашем алюминиевом комбинате. Попов моя фамилия. А зовут действительно Василий Иванович. И коней люблю с детства.

Подождав, пока Олег и Василий Иванович закончат обмениваться любезностями, Адмирал наконец тоже поприветствовал Зимина.

— Рад знакомству. Вареники с земляникой рекомендую.

Товарищ Саахов приподнял бровь:

— Лучше возьми шашлык из ягненка. Клянусь, честное слово, мясо свежее, как для членов Политбюро.

Адмирал кашлянул и возразил:

— Нет! Вареники и борщ с пампушками. Настоящий кремлевский паек! Микола, наливай!

87

Микола стал совершать какие-то таинственные пассы руками под белоснежной скатертью. Адмирал подавал ему пустые рюмки, а спустя несколько секунд возвращал их на стол наполненными до краев.

Подошедшая официантка некоторое время наблюдала за этими цирковыми номерами, а потом строго сказала:

— Нарушаете режим, товарищи отдыхающие? Диетсестре скажу!

Саахов расцвел в улыбке.

— Ай, молодец! Студентка, спортсменка, комсомолка, просто красавица!

Адмирал выдержал надлежащую его чину паузу и крякнул:

— Глазастая! Тебе налить?

Официантка задорно блеснула карими глазами с поволокой.

— На работе не пью! Это я за вас переживаю.

— Не бойся! Гауптвахту для адмиралов еще товарищ Ворошилов отменил!

Когда официантка отошла подальше, Адмирал поднял рюмку:

— Ну, за знакомство!

Олег вместе со всеми опрокинул стопку анисовой и, переведя дух, спросил:

— Вы где служили, товарищ Адмирал?

Адмирал покосился на Олега.

— Военная тайна. Теперь вот военным туризмом на жизнь зарабатываю. Дожил, блин. Круизы на подводных лодках, прогулки по ракетным базам, прицельное бомбометание по мишени заказчика.

Олег покачал головой и тут же услышал из-за спины:

— Кодел мум ня дудода дяггинес?

Откуда-то из веселых студенческих лет и из поездок по Друскининкаям и Каунасам мозг Олега вытащил перевод с литовского: «А чего это нам не наливают?». Этот вопрос запомнился ему именно потому, что когда-то местные жители частенько задавали его.

Но Микола незнакомца не понял и вытаращил глаза:

— Чего? А?

За дружбу народов вступился и товарищ Саахов.

— Дарагой, как брата прошу — скажи что-нибудь по-русски!

Олег наконец смог рассмотреть незнакомца. Это был классический прибалт — с белесыми ресницами, длинными руками и чуть удивленным выражением лица. Он задумчиво моргнул и произнес:

— Русишкай не понимаит!

Саахов всплеснул руками:

— Клянусь, честный слово, сердце кровью обливается. Так жаль прибалтийских товарищей. Савсэм за последние годы па-русски разучылись гаварыть!

Тут раздался грозный рык Адмирала.

— По-русски не понимают — значит, пьют на свои!

Прибалт моргнул еще раз, потом принюхался и вдруг врезал на чистейшем русском языке и без акцента.

— Друзья! Как же я по вам соскучился! Дербанем по одной?

Адмирал зычным шепотом скомандовал:

— Микола! Наливай!

После этих слов за столом воцарилось молчание, нарушавшееся лишь гортанным бульканьем «огненной воды».

Пока дети разных народов вкушали водку, на маленькой сцене в конце столовой появился с микрофоном в руках массовик-затейник, физрук и «наше все» Роберт. Над головами честной компании гулко загремел его голос, усиленный микрофоном:

— Товарищи, приятного аппетита! Прослушайте объявление! Завтра в одиннадцать — литературная викторина. Параллельно — бег в мешках, а также кружок икебаны. После обеда на озере — праздник Нептуна, а вечером — костер интернациональной дружбы и встреча с лидером африканского освободительного движения товарищем императором Бокассой.

Вдохновенная речь Роберта подвигла некоторых присутствующих в зале на аплодисменты. Услышав их, из-за дальнего стола возник некий чернокожий гражданин в леопардовой шкуре поверх мундира, обильно усыпанного орденами, и церемонно раскланялся. Все замерли в ожидании. Товарищ император оглядел аудиторию и изрек:

— Здравствуй, туварыщ!

Присутствующие зааплодировали. Бокасса удовлетворенно улыбнулся, а потом вскинул вверх два пальца в победном приветствии. Сопровождающий текст императорской речи был краток:

— Миру — мыр. Войне — пиписька!

Вдруг со своего места поднялся Адмирал. Его форма несла чуть меньше знаков отличия, чем у августейшего гостя. Но противостояние было вполне равноценным. Низким тремоло флотоводец спросил:

— Вот какой вопрос. В газетах пишут, что товарищ император съел шестнадцать человек.

Большинство отдыхающих, сидевших в этой великолепной столовой, переглянулось. А Адмирал словно вбил гвоздь:

— Простите, какова цель нашей с ним встречи?

Микола зачем-то понюхал собственную руку. Но товарищ Роберт не растерялся:

— Перед приездом сюда товарищ Бокасса прошел стажировку в Московском институте диетического питания. Теперь он совершенно безопасен.

Олег чуть привстал. За столиком рядом с Бокассой сидел пожилой негр интеллигентного вида. Он вдруг встал и могучим басом запел: «Широка страна моя родная!» Олег ахнул и обратился к Миколе.

— Неужели Поль Робсон?

— В натуре! Он и есть! Американский друг советского народа. Поет и пьет только по-русски. Языка ни черта не понимает. Это еще что! Вон того бородача видишь?

Будто в ответ на его слова, как чертик из табакерки, из-за того же стола выскочил бородатый высокий мужчина во френче защитного цвета. Он поднял бокал и начал зычно скандировать:

— Вен-се-ре-мос! Ку-ба — си! Ян-ки — но! Ку-ба — си! Ян-ки — но!

Кое-кто из присутствующих дам тоже вскочил на ноги и попытался начать пританцовывать. Но разгорающийся интернациональный шабаш снова пресек своим бархатным баритоном товарищ Роберт. Он начал говорить тихо, будто сомневаясь в себе. Но по мере приближения к главной мысли, его голос креп, становился гортанным, а слова обретали чеканную четкость.

— Мы рады приветствовать наших друзей. Но я хотел бы напомнить, что сейчас в нашем Парке проходят дни, посвященные красавице Украине! Хочу предоставить первое слово нашему дорогому украинскому гостю и замечательному итальянскому футболисту Андрею Шевченко!

Олег понял, что в углу ему отсидеться сегодня не дадут. Он встал и, глядя в смятую бумажку, которую ему подсунул Микола начал:

— Хай живе и процветае радяньска ненька Украйна!

Остаток текста Зимин читал, слабо понимая, что именно он говорит. Но товарищ Роберт по окончании его интермеццо вскинул руки в экзальтации:

— Хай живэ!

И вся аудитория, даже эсэсовцы, вскочила на ноги и в едином порыве заорала:

— Хай!

На этой волне началось повсеместное братание. У выхода на балкон азербайджанец обнял армянина.

— Вах, дорогой Армен, а ты помнишь, как замечательно вы, армяне, жили у нас в Баку?

А его собеседник с горячностью отвечал ему:

— Э-э! А ты, дорогой Рустам? Помнишь, как ваш азербайджанский театр любили у нас в Ереване? И кому это мешало?

Олег из последних сил пытался сопротивляться этому массовому психозу. Но и он не смог удержаться от пары хлопков в ладоши, когда в завершение вечера товарищ Саахов провозгласил, положив руку на погон Адмирала:

— Много лет назад мою горячую любовь отвергла недальновидная русская девушка. И никто тогда не знал, что ее неразумный поступок со временем приведет к распаду СССР!

Ранним утром Олег открыл глаза от того, что услышал где-то вдалеке бодрый голос товарища Роберта:

— Здоровье в порядке — спасибо зарядке! Ну-ка солнце, ярче брызни! Золотыми лучами обжигай! Товарищ Скворцова, больше жизни! Не задерживай — шагай!

Удивительно — но Олег просыпался без привычной ненависти к наступающему дню. Ему вдруг захотелось встать и сбежать вниз, на пляж, где пара дюжин отдыхающих махала руками под отрывистые, но веселые реплики физрука.

— Приседания! И раз, и два, и раз, и два!

Он так и поступил.

Увидев Зимина, товарищ Роберт приветственно вскинул руку:

— Олег Николаевич! Присоединяйтесь к нашей зарядке!

С самого края стоял Микола в черных семейных трусах.

В промежутке между махами и упорами Олег спросил друга:

— А где Адмирал?

— Н-нет больше с нами А-адмирала-а, — горестно ответил Микола.

Олег даже прекратил выполнять упражнения и удивленно уставился на него. Микола тоном профессионального плакальщика продолжил:

— Останки его лежат в н-номере и п-просят рассола.

Олег облегченно выдохнул и продолжил приседать. А вот у Миколы запал, похоже, кончился. Он махнул рукой:

— Хватит! Пошли в «стекляшку» лечиться!

Олег поднял голову из упора лежа:

— Какая «стекляшка»? Я на душ Шарко опаздываю!

Микола поднял вверх палец и, перед тем как удалиться, назидательно сказал:

— Вот чем интеллигентный человек отличается от нормального! Нормальный человек с утра принимает рюмку, а интеллигент — душ!

Видя, что нотация Зимина не пробила, он гордо удалился.

Закончив с упражнениями, разгоряченный и посвежевший Олег рысью направился в процедурный корпус.

Знакомый кабинет уже был занят. Какой-то мужчина, закрыв глаза, лежал в ванной, а Алена градусником меряла температуру воды. Олег оглядел происходящее и поинтересовался:

— Можно, доктор?

Алена, не поворачивая головы, ответила:

— Я — не доктор, товарищ Зимин! Что вам угодно? У вас процедура в пятнадцать часов.

Олег протиснулся в кабинет по пояс.

— Простите, бога ради! Но мне прописали душ Шарко не менее двух раз в день.

Алена упорно отказывалась разделять с ним его веселый настрой. Она столь же ровным голосом ответила:

— Направо по коридору, будьте добры. Кабинет № 17, старшая процедурная сестра. У меня, к сожалению, нет ни одного окна.

Олег не желал мириться с отказом.

— Но мне хочется принимать душ Шарко именно у вас. У вас такая легкая рука!

— Не всегда, отдыхающий Зимин! Не всегда! Извините, мне надо работать. До свидания.

Олег понуро направился вдоль по коридору. И тут открылась одна из дверей, и навстречу ему выплыл, сияя лысиной, благообразный главврач.

— Олег Николаевич! А я как раз вас ищу! Я хотел с вами немного поговорить.

Зимин зашагал вслед за главврачом. Тот привел его в огромный овальный зал с красивой росписью на потолке.

— Полюбуйтесь, Олег Николаевич, это уникальные росписи 50-х годов, восстановлены по подлинным эскизам художника Елены Яцуры! Какая красота! Основа, я бы сказал, зародыш нашего будущего музея.

Олег кивнул:

— Просто великолепно!

А главврач подхватил Олега под локоть и повлек дальше, на полукруглый балкон.

— Пойдемте! Пойдемте, мой дорогой! Вы еще ничего не видели!

Перед ними раскинулась лестница и великолепная курортная эспланада, упиравшаяся в бирюзовую стену моря. Зрелище заворожило Зимина, и он не сразу понял, что главврач продолжает говорить.

— ...Человеческая память крепче любого мрамора! По крайней мере, мы никогда Сталинград не назовем Волгоградом. Какое же это счастье для наших ветеранов!

Олег повернул голову. Они уже спускались к парку.

— Какие ветераны? Александр Анатольевич! Побойтесь бога! Они же за всю жизнь не заработали даже на один день в вашем Парке!

Главврач помолчал и кивнул.

— Это правда. И это грустно. Но мы ведь осуществили пока только первую часть нашего проекта — для обеспеченной публики. Сейчас подзаработаем деньжат — и выкупим маленькие городки, всякие там урюпински, где все сохранилось, как в заповедной зоне, и откроем сеть дешевых филиалов по всей стране — наш Красный Пояс!

Некоторое время собеседники молча шагали среди сосен. Вдруг лес оборвался и перед Олегом открылась небольшая беседка. Главврач подвел его к экспозиции, раскинувшейся почти на все беседочное пространство.

— Взгляните вот на этот макет. Наш Парк, как видите, имеет форму Советского Союза. Там, где раньше были союзные республики — у нас этнографические развлекательные комплексы. Гуляем по Грузии — пробуем молодое вино, гуляем по Литве — едим замечательные молочные продукты, потом немножко качаем нефть в Азербайджане, проводим ревизию коньячных подвалов Армении и так далее — все можно увидеть, потрогать и даже получить сувенир на память. Наши главные аттракционы — это БАМ, ТУРКСИБ, ДНЕПРОГЭС, ЦЕЛИНА, ПЕРВАЯ КОННАЯ и много чего еще. Заметьте — все настоящее: снег на БАМе, верблюды в пустыне, алмазы в Якутии, ну, и охота на медведей, конечно.

Олег поинтересовался не без ехидства:

— Алмазы и медведи входят в стоимость путевки?

Но главврач с упорством первопроходца не замечал настроя Зимина. Он на полном серьезе ответил:

— Алмазы от пяти карат, медведи до шестисот килограммов. Пока дороговато. Но за все эксклюзивное надо платить.

Олег вспомнил рассказ о суперкомпьютере, управлявшем погодой, и поспешил уточнить.

— И все это великолепие построено, конечно, иностранцами?

Главврач лукаво улыбнулся:

— Не все, не все. Сейчас, например, завершаем по просьбе иностранных инвесторов два познавательных аттракциона: «ЛУБЯНКА» и «АРХИПЕЛАГ ГУЛАГ». Комплект сувенирной одежды зека, ночевка в бараке, диетическая баланда, прогулки под конвоем. А для физически крепких любителей экстремального спорта — ночные допросы с пристрастием и рубка леса.

Олег посмотрел туда, куда указывал главврач. Там стоял миниатюрный макет зоны — с любовно вылепленными вышками, бараками. У забора застыли крошечные игрушечные овчарки. Он поежился и прокомментировал:

— Да уж, экзотика...

А собеседник продолжал вдохновенно развивать тему:

— А почему нет? Гордятся же англичане музеем ужасов мадам Тюссо.

С этого угла Олег на тему не смотрел и не нашелся, что ответить. А главврач уже завершал:

— А мы докажем, что наши ужасы — самые ужасные в мире.

Олег подошел к макету и осмотрел его поближе. Сделано было без изысков, но на совесть. Он примирительно обратился к главврачу.

— Но ГУЛАГ-то, я надеюсь, хоть наши строили?

Александр Анатольевич, как показалось Зимину, от гордости даже стал выше ростом.

— Наши, наши. Согласитесь, в этом деле наши специалисты — самые лучшие в мире...

В столовой все было спокойно, и только Микола казался каким-то напряженным. Его слегка потряхивало после вчерашнего, и он пил воду фужер за фужером. Олег попробовал поесть, но атмосфера ожидания, царившая в зале, захватила и его. Наконец за спиной послышались шаги, и крепкий лысоватый человек в наглухо застегнутом костюме нагнулся к уху Миколы.

— Товарищ Кирпатый, пора!

Микола с трудом проглотил последний кусок, попрощался с Олегом и встал. Пока Зимин не понимал, что происходит. Микола твердой походкой не совсем трезвого человека шел к выходу, шторы в дальнем конце столовой раздвинулись, открывая взору огромное пространство космодрома. Вдали высилась громада ракеты-носителя.

Метроном негромко начал обратный отсчет. Спустя минут пятнадцать появился небольшой автобус. Зал взорвался аплодисментами.

Изображение переключилось с общего плана на средний. Из распахнувшейся двери красного «пазика» вышел Микола в полном облачении космонавта. В руке у него был чемоданчик системы аварийного жизнеобеспечения. Через головы стоявших спиной к камере членов Государственной комиссии в широкополых шляпах и лихо загнутых генеральских фуражках было видно, что он рапортует, приложив руку в перчатке к тонированному забралу шлема:

— Товарищ председатель Государственной комиссии, летчик-космонавт Николай Кирпатый к орбитальному полету готов!

Незримый руководитель ответил ему дрожащим от волнения голосом:

— Счастливого пути, сокол!

Трансляцию с космодрома на экране чернобелого серийного телевизора сменило торжественное лицо диктора Игоря Кириллова. С присущим ему бархатистым рокотом в голосе он провозгласил:

— Дорогие товарищи! До старта космического корабля с космонавтом-отдыхающим на борту осталось всего несколько секунд...

По второй звуковой дорожке пошла трансляция из Центра управления полетами.

— Зажигание!

— Есть зажигание!

— Ключ на дренаж!

— Есть ключ на дренаж!

— Даю протяжку!

— Даю обратный отсчет! Семь... шесть... пять...

Олег увидел, что Микола нервно заерзал в ложементе. Картинка ощутимо задрожала.

— Четыре... три... два... один... старт!

Незримый режиссер вновь перебросил картинку на внешнюю камеру. От серебристого тела ракеты отошли в стороны кабель-мачты, и под дюзами забушевало пламя.

Прошло последнее включение с борта.

Миколу трясло совершенно не по-детски. Он вертел пальцами у виска шлема. Сквозь гул двигателей донеслись его слова.

— Вы шо, всерьез? Вы шо, пацаны, поехали?

Ракета тяжело оторвалась от стартового стола и устремилась к зениту.

Парадный оркестр и взвод почетного караула дружно грянули песню Александры Пахмутовой: «Он сказал: «Поехали!» Он взмахнул рукой...»

Вокруг Олега все присутствующие повскакивали с мест и принялись обниматься. Грянуло мощное «Ура!». На фоне всеобщего ликования внизу Игорь Кириллов вещал с экрана:

— Дорогие товарищи! Сегодня в десять ноль-ноль по московскому времени в нашем Парке произведен новый успешный запуск космического корабля с отдыхающим-космонавтом на борту. Ура, товарищи!

Чапаев потряс кулаком в воздухе.

— Молодец, Микола!

Олег тоже сдержанно хлопал в ладоши.

А на сцене появился товарищ Роберт. Воздев руки к небу, он воскликнул:

— Слава покорителям космоса! На пыльных тропинках далеких планет останутся наши следы! Космос — это наше все! Ура, товарищи!

А Адмирал, уже успевший разлить «беленькую» по рюмкам, поднял тост:

— Ну, за взлет Миколы!

Олег не любил пить с утра. Но по такому случаю было можно.

После завтрака, пока Микола совершал обороты на околоземной орбите, компанию Олегу решил составить Василий Иванович. Они направились в конно-спортивный манеж. Там Чапаев куда-то исчез, а Олег присоединился к другим отдыхающим на трибунах. На всех были красноармейские шлемы с красной звездой.

Оркестр заиграл «Непобедимая и легендарная». Из ворот на желтый песок выкатила красноармейская лава с шашками наголо. Впереди на лихом коне несся Чапай, за ним — командир полка Кантемиров и, конечно же, Петька, державший в одной руке боевое знамя. С галопа отряд перешел на аллюр и под приветственные крики гостей, успевавших отхлебывать пиво из стилизованных кружек с эмблемой Парка, понесся вдоль трибун. Олег заметил, что в арьергарде едет боевая тачанка, а на ней — Алена Волкова, которую плотно сидевшая кожаная куртка и юбка делали еще привлекательнее. Олег задумался. Пожалуй, такую женщину не мог бы испортить ни один костюм ни одного периода нашей трудной истории. Сделав круг по манежу, отряд тем временем скрылся за кулисами.

Началось конное шоу. Джигитовка, выездка и, наконец, финал — рубка лозы. Красные кавалеристы сносили верхушки тоненьких веточек так лихо, что товарищ Роберт, без которого не обходилось ни одно мероприятие в Парке, не сдержался и закричал:

— Да здравствует героическая Красная Армия! Даешь Перекоп! Даешь Варшаву! Слава красному наркомвоенмору товарищу Троцкому!

Один из конников настолько увлекся, что разрубил прут ребром ладони. Но все эти чудеса мало интересовали Олега. Он пробирался между рядов к выходу в вестибюль. Остаток пути до конюшни он преодолел почти бегом. У самых ворот его встретил Василий Иванович. Олег показал ему большой палец и спросил:

— А где тут у вас медсанчасть?

Чапаев оказался удивительно понятливым красным командиром.

— Алену ищешь? Она там. Раненого перевязывает.

В глубине конюшни виднелась обмотанная бинтами голова красноармейца.

Олег подошел поближе и смущенно кашлянул:

— Ален, извините...

Медсестра, не оборачиваясь, ответила:

— Добрый день.

Раненый боец лежал неподвижно у нее на коленях до момента, пока она не закрепила повязку. Закончив процедуру, Алена сказала куда-то в пространство:

— Все в порядке. Вы свободны.

Красный конник встрепенулся:

— Я?

Алена посмотрела на Олега и уточнила:

— Вы оба.

Конник вышел из откидной двери загона.

Олег подошел поближе.

— Послушайте, Алена, со мной что-то происходит. Но как бы это сказать... Я обычно умею выражать свои мысли, а тут не могу сложить слова, самые простые... Вы мне очень нравитесь.

Алена посмотрела на него прямым и немигающим взглядом.

— Олег Николаевич, эту тему мы обсуждать не будем. Повторяю, никаких личных отношений у нас, сотрудников, с вами, отдыхающими, быть не может.

Олег возмутился:

— Почему? Из-за каких-то нелепых инструкций и правил внутреннего распорядка?

Алена собиралась что-то ответить ему, но тут из-за ее спины, аппетитно похрумкивая яблоком, вынырнул товарищ Роберт в сером френче. Увидев его, Алена повернулась и выбежала из ворот конюшни. А физрук-затейник довольно развязно начал:

— Олег Николаевич! А вам не кажется, что, преследуя Алену Волкову...

Олег попытался отмахнуться от него и двинулся вперед, как-то безадресно пробормотав, словно в метро или в автобусе:

— Послушайте...

Товарищ Роберт придержал его.

— Нет, это вы послушайте. Я понимаю, человеческие слабости, инстинкты...

Но знаете, для слабостей и инстинктов у нас есть специально обученный персонал. А Алена Волкова не для этого. И не для вас.

Олег сжал кулаки. Так его еще давно никто не обламывал.

— Да какое вы имеете право...

Но его гневные взгляды не возымели на товарища Роберта никакого воздействия.

— Имею, Олег Николаевич! Имею полное право! Отдыхайте!

В соседнем стойле красивый караковый конь поднял голову, посмотрел на Олега печальным глазом и негромко заржал.

Остаток дня показался Олегу пресным и бесцветным. Ближе к ночи он даже согласился на предложение Василия Ивановича раздавить перед танцами огромную бутыль молдавского вина. Кутежники сидели на пригорке над танцплощадкой и тихо цедили терпкий напиток. Снизу доносилась легкая музыка. Когда оркестр заиграл «Ландыши», из репродукторов на столбах раздался искаженный радиопомехами голос диктора Кириллова.

— Дорогие товарищи! Как раз над нами пролетает космический корабль с отдыхающим-космонавтом на борту Николаем Кирпатым... Бортовые системы корабля работают нормально, состояние космонавта отличное.

Следующий голос прорывался сквозь потрескивание статического электричества куда тише. Но тон был победоносным. Микола докладывал с орбиты:

— Земля, Земля! Це я — Мыкола. Усе ништяк! Повторяю — усе путем. Канаю дальше.

С танцплощадки раздалось нестройное «Ура!». Но Олега меньше всего интересовали сейчас звездные тропы. Он увидел, как по дороге идет с подругой Алена. Девушка старательно избегала взглядов в сторону танцплощадки. Зимин сорвался с места и побежал за медсестрой. Девушки ускорили шаг, но Олег все-таки настиг парочку и схватил Алену за руку. Подруга на секунду замедлила шаг, но потом быстро зашагала прочь. Алена раздраженно воскликнула:

— Отстаньте! Как вам не стыдно! Вы пьяны!

Олег старался, чтобы его голос звучал предельно серьезно и трезво:

— Прикажите — и я протрезвею.

Алена пожала плечами:

— Зачем? Вы — такой же, как и все.

Она вырвала руку и быстро убежала в темноту. Олег еще некоторое время постоял посреди пустой дороги, а потом побрел обратно к своему собутыльнику. Откуда-то донеслись позывные «Голоса Америки». Василий Иванович грозно зыркнул в темноту, и тень человечка в белом чесучовом костюме исчезла вместе со звуковой антисоветчиной. К Василию Ивановичу неожиданно подошла высокая полногрудая красавица.

— «Белый танец»! Василий Иванович, позвольте вас пригласить?

Чапаев притянул ее к себе, и она податливо прильнула к нему.

— Ты кто?

Олег услышал жаркий шепот женщины:

— Василий Иванович, мы ж с вами еще с Гражданской войны знакомы!

Василий Иванович таял в ее объятиях, но успел произнести слабеющим голосом:

— То есть?

— Да Анка-пулеметчица я. Что ж вы такие видные мужчины — и скучаете?

С этими словами она буквально сгребла некрупного мужчинку в охапку и утащила его на танцплощадку. Олег смотрел вслед парочке и вдруг услышал за спиной томный женский голос:

— Мужчина, вы танцуете?

Издалека донесся полукрик-полустон Чапая.

— Иди, солдат, воюй!

Олег тоскливо посмотрел в ту сторону, куда убежала Алена. А легендарный комдив продолжал давать боевые наставления:

— Противогаз с собой? Ствол не заржавел? Затвор в порядке?

Девушка подошла ближе. От нее исходили такие незримые флюиды, что Олег вдруг понял, что должны чувствовать кобели во время «собачьей свадьбы». Дистанция сократилась до минимума. Женщина наконец ответила на невысказанный вопрос Зимина:

— Библиотекарша я. Из колхоза...

Олег почувствовал, как распаленное женское тело прильнуло к нему. Поцелуй этой ошалевшей самки был для него неожидан, и вырваться ему удалось не сразу. Чуть глотнув воздуха, он сумел возразить:

— Послушайте... Я сегодня не расположен к агрессивному сексу.

Перед тем, как ответить, библиотекарша положила его ладонь на свои крутые ягодицы. На периферии сознания Олег все же отметил, что белья под платьем нет вообще. Оценив произведенный эффект, женщина пылко шепнула ему в ухо, предварительно лизнув мочку:

— Я не агрессивная. Я — агрессивно-послушная. Умею делать все. И даже то, о чем вы не знаете. Догадываетесь — но боитесь спросить.

Олег держался из последних сил. Наконец он спросил пьяным голосом:

— Ты мне лучше как друг скажи — где живет медицинский персонал санатория?

Пытаясь втихаря расстегнуть ему брюки, библиотекарша запротестовала:

— Ну зачем вам персонал? Не понравилась я — приходите завтра в клуб на репетицию колхозного хора. У нас в хоре 37 девушек. Одна лучше другой. Вам ни одна не откажет — вы такой видный мужчина... А медсестру Волкову оставьте в покое — вам же лучше будет.

Олег резким жестом остановил дальнейшее рассупонивание его амуниции. Теперь его голос был абсолютно трезв:

— И все-таки — где они живут?

С видимым сожалением библиотекарша облизнула полные губы и, посмотрев на Олега, шепнула:

— За забором пруда. Только я вам ничего не говорила, ладно?

Олег принялся поправлять порядком расхристанный костюм. Женщина смотрела на него со странной смесью жалости и восхищения. Олег не успел понять, что же на самом деле означает этот взгляд, когда неподалеку раздался громкий всплеск воды. Он посмотрел в сторону звука. К берегу пруда побежали люди. Для Олега это был шанс прекратить затянувшееся неловкое молчание, и он тоже рванул за толпой.

Близ заросшего травой берега по колено в воде стоял Микола в костюме космонавта. Перкалевый парашют медленно тонул в ряске. Увидев Олега, Микола откинул забрало гермошлема. Его глаза сияли возбужденным блеском.

— Бог не фраер, Олежек. Если бы десять лет назад на Колыме кто-нибудь сказал мне, что я стану в натуре космонавтом и вокруг меня будет столько красивых телок — я плюнул бы в его наглую зековскую рожу. Не, мужики, только здесь я снова чувствую себя человеком!

Раздались громоподобные аплодисменты. И Миколу понесли на руках куда-то в глубь Парка.

Оставшись один, Олег решил умыться прохладной водой. Сунув ладони в реку, он вдруг ощутил, как меж них оказалась здоровенная рыбина. Посмотрев на нее, он с горечью поставил самому себе диагноз:

— Вот набрался...

Олег крался по темной улице служебного городка «Парка советского периода» и пытался затуманенным умом вспомнить название американского фильма, где герой вознамерился совершить такой же подвиг в сильном подпитии. Ах да. «Ночной ездок». Только вот задачка у доблестного ковбоя была попроще. Ему не было нужды штурмовать отвесную стену типовой пятиэтажки с надписью: «Общежитие». Олег понял, что и сам со студенческих лет порядком подзабыл этот навык, которым когда-то владел в совершенстве. Да и не было здесь страховки в виде страждущих рук будущих медичек, воспитательниц детсадов, учительниц начальных классов, ткачих или на худой конец крановщиц, готовых вдернуть зазевавшегося альпиниста в пропахшую женскими запахами комнату.

Оценив диспозицию, Олег попытался пойти в лобовую атаку и три раза постучал в дверь. На первом этаже приоткрылось окно и высунулся полураздетый вохровец Петрович.

— Олег Николаевич, сюда отдыхающим нельзя. Здесь персонал живет.

Олег с трудом подыскивал слова:

— Петрович... Мне поговорить надо...

Петрович осклабился и вздохнул:

— Ладно. Давай поговорим.

Олег покачнулся, но устоял на месте.

— Да не с тобой. С девушкой. С Аленой Волковой. Она... она такая... Ты понимаешь меня, Петрович?

Петрович не проникся всей нежностью этой ночи и вместо сочувствия, строго спросил:

— Олег Николаевич, вы подписку давали?

— Давал.

— Читали, что подписывали.

Олег растерялся.

— Нет.

— А там черным по белому написано: вступать в личные сношения с рабочим персоналом Парка запрещается!.. Для этого у нас колхоз существует. Прямо по полю — и налево... За шестнадцать минут доберетесь.

Окно комнаты Петровича с треском захлопнулось.

Олег остался стоять перед закрытой дверью. Он чувствовал себя полнейшим идиотом и огляделся, чтобы избавиться от гнетущего ощущения. На его счастье, неподалеку на высоту второго этажа поднимался один из тех таинственных кирпичных заборов, которые во времена его советского детства в изобилии строились в самых неожиданных местах. Олег, ломая ногти и пару раз больно стукнувшись коленом, взобрался на стену. Где-то начали бить куранты и негромко заиграл гимн Советского Союза. Наступила полночь. От напряжения Олег почти совсем протрезвел. Перед ним развернулась длинная анфилада окон. Из-за жары почти все они были открыты. Но в комнатах царила темнота. И вдруг... Олег не поверил своему везению. Прямо напротив него вспыхнул свет. Алена только что вышла из душа. Олег смотрел на обнаженное тело девушки и понимал, что сейчас сойдет с ума. Но остатки здравого смысла все-таки подсказали ему, что сегодня еще рано кричать. Надо просто смотреть. Алена, не торопясь, вытерла волосы, полюбовалась собой в зеркало и одела длинную ночную рубашку. Олег заскрипел зубами и зашептал одними губами:

— Алена... Алена.

Невольное шоу кончилось также неожиданно, как началось. Свет погас, и в наступившей тишине было слышно, как зудят комары. Внезапно залаяла собака. Олег пополз вниз по кирпичной кладке, и вдруг почувствовал, как сильные руки снимают его и ставят на твердую землю. Перед ним был наряд дружинников с красными повязками. Он виновато понурил голову.

— Извините, ребята. Лунатик я. Иногда по стенкам лазаю во сне. Спасибо собачке вашей — разбудила. А то убился бы, честное слово.

Бравые ребята с открытыми лицами быстро отвели его в курортный корпус и даже аккуратно раздели и уложили спать.

На следующее утро Олега вновь разбудили звуки физзарядки на берегу. Постель Миколы была нетронута. Похоже, покорителя космоса с ходу взяли в оборот истомившиеся колхозницы. Олег предельно собранно оделся и ринулся на процедуры. В зале для душа Шарко пока никого не было. Олег истолковал это по-своему. Он покорно разделся и повернулся лицом к стене. Вскоре за спиной раздались тихие шаги. Олег попытался повернуться, но его остановили тугие струи воды, ударившие в спину. Дождавшись окончания первого натиска, Зимин все же изловчился встать лицом к потоку и закричал, силясь перекрыть грохот воды:

— Сегодня я трезвый и серьезный. Алена! Мне нужно поговорить с вами, Алена!

Сквозь брызги виднелась размытая женская фигура со шлангом в руках. Олег продолжал кричать:

— Ну пожалуйста, выключите воду! Очень прошу! Мы должны, наконец, познакомиться, по-настоящему узнать друг друга... Алена, не могу я так разговаривать, с полным ртом воды!

Наконец струя воды ушла вниз. Медсестра сняла защитные очки. Но это была не Алена. Олег увидел перед собой строгое лицо женщины лет пятидесяти. Она осмотрела покрасневшее от процедуры тело Зимина и назидательно произнесла:

— Молодой человек! Снявши штаны, поздно с девушками знакомиться!

Олег запнулся.

— П... простите... А где Алена Ивановна?

— Отдыхает. У нее — ночная командировка.

Олег занервничал:

— Ночная командировка? На что вы намекаете?

Медсестра нахмурилась:

— Это вы на что намекаете, молодой человек? Алена Ивановна убывает на освоение целины.

Мозг Олега лихорадочно заработал. Позавчера Микола, помимо космического тура, упоминал, что он приобрел и путевку на целинные земли. Надо было найти героя-космонавта и любой ценой добыть у него эту бумажку.

Олег наскоро оделся и выскочил на площадь. Василий Иванович мог знать, где искать загулявшего хохла. Зимин наугад ринулся туда, куда инстинктивно бежит в минуту опасности каждый русский человек — к Кремлю. Точнее, к его модели в натуральную величину. Предчувствие его не обмануло. В бассейне, у храма Василия Блаженного, плавал Попов-Чапаев. Греб он, как и следовало ожидать, одной здоровой рукой. К поручням бассейна были привязаны две лошади. На одной была аккуратно сложена форма комдива, а на второй сидел Петька и читал «Правду отдыхающего», шевеля губами.

Олег еще издалека закричал:

— Василий Иванович! Василий Иванович!

Чапаев встал на дно на мелководье и вытер усы.

— Привет, звезда! Я здесь, пока никого нет, Урал переплывать тренируюсь. Что случилось?

— Мне нужен Микола. Срочно.

Василий Иванович вылез из воды.

— Он в «стекляшке».

— Как «стекляшку» эту найти?

— Какая может быть «стекляшка» на территории Кремля. Ладно, пошли. Наши наших не бросают.

Показав вниз рукой, он попросил Олега:

— Дай только портки надену...

Скачка в Парке была короткой, но яростной. И наконец, красный командир и его напарник на взмыленных конях ворвались на площадь обычного райцентра, где напротив обшарпанного вокзала раскинулся маленький и бедный колхозный базар. Здесь же был невзрачный павильончик с замызганными стеклами, украшенными трафаретными надписями «Пиво» и примитивно нарисованными кружками. Многоногие ряспятые насекомые поверх пены, по всей видимости, изображали раков.

Площадка, где стояли высокие столы-поганки на одной ножке, была обнесена забором. С внешней стороны у самого входа сидел полупьяный инвалид и что-то наигрывал на гармошке.

Чуть поодаль закутанная, как капуста, бабка продавала мучительно скрюченную воблу и семечки. Жизнь в этом тихом уголке начиналась внутри пивной.

В углу у входа самозабвенно пел «Владимирский централ» невысокий приблатненный мужичок с короткой стрижкой. Его рулады неодобрительным взглядом изучала стоявшая за прилавком здоровенная бабища. Ее пудовые кулаки опирались на прилавок по обе стороны от знакомого, но неисполнимого лозунга на табличке: «Требуйте долива после отстоя пены». Рядом стояли кружки с отстаивающимся пивом, а под захватанной витриной — пачки сигарет «Прима», «Дымок» и «Аврора». За спиной мегеры высились пирамиды килек в томате и плавленых сырков «Волна».

На стойку приливами то накатывала, то отступала шумная людская волна. Продавщица смерила страдальцев взглядом.

— Ну что, ханурики, трубы горят? Сейчас будем лечиться... И не занимайте там, не занимайте, мормышки хуевы. На всех все равно не хватит.

Из очереди раздался сиплый голос:

— А ты, Ильинична, водой разбавляй, тогда, может, и хватит.

Продавщица брезгливо хмыкнула:

— Не учи ученого! А то я его, по-твоему, шампанским, что ли, разбавляю?!

В очереди раздалось несколько угодливых смешков. Ильинична строго продолжила:

— Да ежели б я воду не доливала, это пиво еще б позавчера закончилось.

Пошарив глазами по пивному залу, Олег и Чапаев увидели наконец и Миколу. Он уже затарился дюжиной кружек и умиротворенно озирал публику. Увидев знакомые лица, Кирпатый оживился:

— Налетай, хлопцы! Хай лучше пузо лопнет, чем пиво останется!

Чапаев улыбнулся и взял кружку. Его внимание привлекла пена. Он попытался ее сдуть, но она словно потянула за собой остатки пива. Василий Иванович крякнул и повернулся к продавщице:

— Клав! Ну и пену ты гонишь! Стиральный порошок, что ли, добавляешь?

Ильинична даже не сочла нужным удостоить красного комдива ответом. Олег к пиву не прикоснулся. Микола обеспокоенно посмотрел на него:

— Что такое, братка?

— Микола, слушай, как попасть на целину?

— Куды?

Микола замолчал и отхлебнул из кружки. После паузы он продолжил.

— О не! Это дело тяжелое! Это ж только по путевке комсомола. Только для самых достойных.

Олег погрустнел. На пару минут внимание всех отвлек огромный милиционер баскетбольного роста, который, пригнувшись, вошел в дверь. Одет он был по моде 30-х годов, и Зимин подумал, что из него получился бы классический михалковский дядя Степа.

Словно в подтверждение его догадки, тетя Клава гаркнула из-за стойки:

— Привет, дядя Степа!

Милиционер любезно поклонился присутствующим и подошел к приблатненным ребятам в углу. Конечно, парни с лесоповала были мелковаты против него, и высоченному стражу порядка ничего не стоило аккуратно взять их за шкирки и вывести наружу. Микола проводил процессию взглядом и, толкнув Олега локтем в бок, сказал:

— Не гужуйся, хлопчик! Тетя Клава и дядя Степа здесь из одной и той же колхозной художественной самодеятельности.

А потом случилось неожиданное. Микола просветлел лицом и полез в карман.

— Ладно, не грусти. Бери мою путевку на передний край борьбы за урожай.

Олег сначала остолбенел, а потом понял, что Микола не шутит. Перед ним посреди ошметков пивной пены и бычков в томате лежал заветный бирюзовый клочок бумаги «на предъявителя». Он аккуратно взял его и рванулся к выходу. Микола хохотнул и, перекрывая усиливающийся хмельной шум зала, заорал вслед:

— А на посошок? Пиво — люкс — торпедо?

Услышав возглас Миколы, Клава гордо выпрямилась:

— Да уж, лучше нашего «Жигулевского» в мире нет!

Ответом на ее ремарку стал грохот десятков кружек о столы и торжествующие крики. Убедившись, что нужный эффект достигнут, Клава решила проверить реальное состояние дел и заглянула под прилавок. Там стоял пузатый металлический бочонок-кег с фирменной немецкой маркировкой, от которого к раздатке тянулись красивые хромированные шланги. Маленький вентиль на редукторе позволял продавщице в случае наплыва страждущих переключиться на огромную резервную емкость в задней комнате. Так что все было путем.

Олег так и не смог убежать с площади перед «стекляшкой». Внезапно дорогу ему перекрыл все тот же вездесущий товарищ Роберт.

— Ради бога, извините! Пару слов тет-а-тет?

Олег раздраженно глянул на надоедливого физрука.

— В чем дело?

— Извините, здесь, у всех на глазах как-то неудобно...

— Что-нибудь случилось?

Роберт таинственно скривился. Вся суматошная дребедень московских будней разом всплыла в мозгу Олега, сбросив сладкую сказку Парка. Зимин последовал за собеседником в крошечный тир, стоявший неподалеку от «стекляшки». Там было пусто. На стене Клим Ворошилов учил

Максима Горького стрелять. Пахло оружейным маслом и подгнивающим деревом. Роберт оперся о стойку спиной и после небольшой паузы зловеще произнес:

— Случилось...

— В Москве?

Товарищ Роберт вместо ответа направился к оружейной стойке и принес две пневматические винтовки. Переломив ствол и аккуратно забив туда пульку, он продолжил беседу:

— Да нет, нелепица какая-то.

Чтобы заполнить театральные паузы физрука, Олег тоже снарядил оружие. Тем временем товарищ Роберт изготовился и выстрелил. Упал жестяной буржуй под натиском рабочего с алым знаменем в руках. Выпрямившись, физрук продолжил:

— Охрана сообщила, вы лезли через забор, ломились в двери, подглядывали в окна женского общежития.

Олег прицелился и выстрелил. Взошло красное солнце с надписью «Коммуна» и к нему, суетливо дергаясь, начал двигаться «Наш паровоз». Когда скрежет стих, товарищ Роберт продолжил:

— Вас интересует подглядывание? Нет проблем.

Он с многозначительным видом перезарядил винтовку и выстрелил. Мельница с надписью «Хлеб Родине» быстро завращала лопастями.

— Устроим в лучшем виде. И девушек, и окна, и замочные скважины. С подзорной трубой или без. Только скажите.

На этот раз Олег оторвал щеку от приклада до выстрела и ответил:

— Глупости.

Товарищ Роберт глянул с казенника в ствол переломленной «духовушки» и дунул внутрь. В этот момент Олег нажал курок. Клоун весело задвигал ушами. Он один был без идеологической нагрузки.

— При чем тут подглядывание?

Олегу показалось, что товарищ Роберт готовится завалить какую-то особо трудную мишень. Он долго целился и все-таки, прежде чем выстрелить, сбил себе дыхание ремаркой:

— Я как бы повторяюсь, но для легкомысленных, извините, курортных романов...

Сухой щелчок выстрела, будто запятой, отделил эту фразу от последующих. Как и следовало ожидать, физрук промахнулся.

— ...у нас создан целый колхоз. Пятьдесят так называемых «колхозниц» в вашем распоряжении... Любые эротические фантазии.

Товарищ Роберт сделал многозначительную паузу. Очевидно, ожидалось, что собеседник должен посмаковать эту картину «колхозных гурий в советском раю». Но Олег ответил ему метким попаданием в самолетик с черным крестом. Жестяной биплан опрокинулся вверх пузом. Роберту пришлось продолжить. В его голосе появилась жесткая нотка:

— А вот девушек из персонала убедительная просьба не трогать. На их обучение потрачено два года и сумасшедшие деньги. Они живут в особом мире, в особом моральном климате.

Желая подчеркнуть пафос своих слов, Роберт, почти не целясь, пальнул в сторону мишеней. От вышки отцепился маленький парашютист и, скрипя, поехал по проволоке в сторону стрелков. Физрук проводил его одобряющим взглядом и продолжил:

— Для вас, московской телезвезды, — это пустячок...

Олег пожал плечами и дослал в ствол последнюю пульку. На этот раз его выстрел оказался неудачным. Роберт удовлетворенно хмыкнул.

— А для нас, Олег Николаевич, это крушение устоев.

Наступила его очередь завершать импровизированную дуэль. И как выяснилось, одна из мишеней была плохо закреплена. Приняв на себя энергию маленькой пули, она сорвалась с гвоздя и, лязгнув о стену, улетела в угол. Товарищ Роберт воспринял это как должный аккомпанемент своей заключительной ремарки:

— Не разрушайте, пожалуйста, того, чего сами не строили...

Собеседники молча вышли из тира.

— Мне домой полдня добираться, — сухо попытался откланяться Олег.

— Ну зачем же. Есть и другие пути.

Роберт гордо посмотрел на Зимина, подошел к старому заросшему вьюнком забору и провел в щели пластиковой карточкой. Распахнулась до той поры неприметная калитка. Роберт подтолкнул Олега к проходу. Сделав шаг по другую сторону забора, журналист ахнул. И было отчего. Роскошный дворец, украшенный красными флагами, оказался буквально в двух шагах от лужи провинциального базара. Впрочем, так часто бывает и в нашей повседневной жизни...

На площади каждый из них пошел своим путем. Олег — на целину. А Роберт — за угол, к небольшой «эмке». Еще издалека он заметил, что рядом с его машиной высится ЗИС главврача. Тот жестом показал ему на место рядом с собой. Роберт отпустил шофера «эмки» и тяжело уселся на мягкий диван лимузина.

Главврач и Роберт вышли из машины и спустились по покрытой мелкой галькой тропинке вдоль края скалы над морем. Рядом ревел горный водопад. Главврач на секунду остановился.

— Господи, какой прекрасный вид!

Роберт тоже посмотрел в сторону водопада и заметил:

— Ага. А главное — не слышно никому ни хрена.

Главврач повернулся к физруку:

— Почему вы такой грубый, батенька?

Роберт пожал плечами:

— Я не грубый. Я — справедливый. Ладно, излагайте. Чего от работы оторвали?

Главврач немного пожевал губы, а потом поднял на Роберта глаза:

— Отстали бы вы от журналюги по добру по здорову, а то он нас как повидло размажет.

Роберт глаза не отвел.

— Я к нему не приставал. Мне его фигура не нравится. Это он к персоналу пристает, трудиться ударникам мешает. А халтурить ему Тимур не позволит, у него не забалуешь.

Главврач примирительно сказал:

— Ну пусть он побегает за девушкой, поскачет. Мужик все-таки...

Роберт с классовой прямотой ответил:

— Мужики в деревнях самогон гонят. А если он не набегался — пусть нормы ГТО сдает. Или старушек через улицу переводит.

Главврач прищурился:

— А не ревнуешь ли ты часом? А? Ромео?

Маска грубоватого работяги слетела с лица товарища Роберта.

— Извините, тогда уж скорее Отелло... А то я ведь и придушить могу. Вы же знаете...

— Знаю, знаю, — грустно согласился главврач.

7

Путь на целину был долог. Грузовики, заполненные молодыми и не очень людьми, долго мчались по степным дорогам, подпрыгивая на ухабах и промоинах. По кузовам машин метались незакрепленные мотыги, мешки, лопаты, топоры и чайники. Чтобы избежать более серьезных разрушений, пассажиры придерживали керосиновые лампы и постельную утварь. Пока все обходилось без приключений. Замыкал колонну полуторатонный бензовоз.

Красные флаги, прикрученные проволоками к бортам машин, то и дело оглушительно хлопали под напором набегающего воздуха, что создавало атмосферу надвигающегося далекого боя.

Наконец кавалькада остановилась. Из кабины головной машины появился Роберт. С пригорка была хорошо видна целая армада тракторов, ждавших своих будущих владельцев на краю бескрайнего поля внизу. В лучах заходящего солнца они были похожи на притаившуюся армию.

Товарищ Роберт подождал на подножке, пока все спрыгнут на землю и выгрузят прямо в грязь пожитки и палатки. После этого он ловко перебрался в кузов грузовика.

— Товарищи! Сегодня к нам приехал наш дорогой, наш любимый народный певец! Иосиф Кобзон!

Иосиф Давыдович в плащ-палатке тоже перебрался в кузов. Олег отметил, что он аккуратно придерживает на голове капюшон. Напев «Тревожной молодости» перекрывал шум ветра, отдаленный рокот двигателей и бередил душу. Некоторые из тех, кто окружал Олега, начали подпевать. Когда вдалеке затихло эхо последних слов, уже совсем смеркалось. Грузовики включили фары. То ли специально, то ли случайно оказалось так, что фигура Роберта на грузовике была скульптурно высвечена желтым светом, а все остальные могли с трудом различать друг друга. Хлынул дождь. Роберт срывающимся голосом закричал под аккомпанемент учащающихся залпов промокших полотнищ флагов и сполохи молний:

— Друзья! Надо ставить палатки! Ожидается ураган!

Люди бросились распаковывать мешки. Ветер рвал из их рук стропы и брезентовые полотнища. Кто-то смеялся от радости, кто-то тихо матерился сквозь зубы. Но общее ощущение подвига росло и крепло. Над головами первоцелинников несся усиленный мегафоном голос Роберта:

— Я знаю, город будет, я знаю саду цвесть, когда такие люди в стране советской... Все дружно!

Ответом на призыв было многоголосо

И словно в ответ на волю людей, дож
стихать. Но в нахмуренном небе все же
ли далекие сполохи молний, напоминая
ко что пережитых трудностях. Голос Р
вновь взревел над полевым станом.

— Тысячелетняя целина! Мы наруши
хроническое безмолвие. Да здравствует
ник первой борозды! Время — ... Все друж

И толпа вдохновенно грянула: «Вперед!)

Переждав пик восторгов первопроходцев
берт деловым тоном продолжил:

— Я предлагаю доверить первую борозду

— Мне!

Увидев Олега Зимина, товарищ Роберт
мрачнел и спросил неожиданно склочным т
ном:

— Как вы тут оказались?

Олег улыбнулся уголками губ.

— Если официально — по зову партии. А если
честно — по велению сердца.

От безупречной правильности ответа Роберт
даже смутился. Но от его взгляда не ускользну-
ло и то, что Зимин бросил красноречивый взгляд
на Алену Волкову, стоявшую в первом ряду.

— Ладно, пашите! Смелее, товарищ Зимин!
Смелее!

Не обращая внимания, на издевательские
реплики Роберта, звучавшие ему в спину, Олег
запрыгнул в кабину «ЧТЗ-50». Он было изготовился потянуть к себе рычаг дифференциала,

как вдруг на передней панели вспыхнула и замигала красная табличка, подкрепленная ржавой звуковой командой:

— Нажмите красную кнопку!

Олег счел нужным повиноваться. Текст изменился и где-то за спиной механический голос забубнил:

— Ничего не трогайте! Ничего не трогайте!

Мощная гусеничная машина сама, без вмешательства человека, запустила двигатель и рванулась вперед. Олег оглянулся. За плугом лежал красиво отваленный в сторону пласт борозды, по обе стороны которого с восторженными криками бежали целинники. Трактор остановился.

Олег спрыгнул из кабины, а на его место тут же сел какой-то молодой человек. Машина рванулась дальше и толпа последовала за ней. У отвала остались стоять только два человека — Зимин и Алена. Борозда словно соединяла их на этой дикой и пустынной земле. Олег невольно подумал, что со стороны это выглядит как пафосная цитата из старого фильма «Первый хлеб», и тут же мысленно обругал себя за явную неспособность до конца ощущать даже самые проникновенные моменты в жизни.

Увидев Олега, Алена развернулась и быстро пошла прочь. Зимин устремился за ней. Вскоре он догнал ее и преградил ей путь.

— Алена, погодите! Алена... Мне, кажется, нужна медицинская помощь.

В ответ Алена заговорила так, словно хотела плеснуть холодной водой ему в лицо.

— Молчите! Ваши шуточки неуместны! Какая красота! Первая борозда...

Олег не совсем вежливо прервал ее.

— Это же аттракцион, Алена! Борозда наверняка пластмассовая. Через час она ляжет на место. А следующая группа отдыхающих примется вновь поднимать целину. Разве не так?

Алена разгневанно глянула на него:

— Борозда, может, и пластмассовая. А чувства она вызывает настоящие. Ваши фото и пленки тоже целлулоидные, но сколько людей им верят! Это для вас здесь аттракцион! А для меня — памятник моим предкам!

Олег даже отступил назад.

— Да?

— Мне дед рассказывал про целину. Как они работали бесплатно, в грязь и в холод, но это было нужно стране, и они были счастливы. А вы сюда на экскурсию, как в зоопарк, на редких зверей посмотреть. А некоторых — и пощупать...

Олег улыбнулся и мягко возразил:

— Зоопарк был раньше. Когда мы в клетке, а снаружи — весь мир. Так было лучше, да?

Но проверенный годами аргумент на Алену не подействовал. Под ее натиском Олег даже отступил еще на один шаг.

— Да, лучше! Лучше!.. Чище!.. Справедливее!.. А вы все испортили!.. Вы предали!.. Вы предали все!.. Я ненавижу вас всех!..

В небесах снова грохнул близкий гром и пошел сильный, но теплый ливень. Олегу казалось, что она с каждым новым словом дает ему пощечину. В глубине души он понимал, что Алена права, что именно эта подсознательная вера в чистоту и искренность заставила его сегодня утром искать Миколу и просить у него путевку. Он видел весь гламурно-напыщенный обезьянник сегодняшнего дня изнутри — и ненавидел его. Алена видела его снаружи — и тоже ненавидела. Они могли быть не только любовниками, но единомышленниками. Надо было только пройти сквозь переливчатую стену мыльного пузыря, разделявшую их. Он шагнул вперед, схватил Алену в объятия и прижал к себе. Она попыталась вырваться, но потом затихла. Олег начал осыпать поцелуями ее лицо. Она закрыла глаза, и, подняв голову навстречу его ласкам и дождевым каплям, начала неумело отвечать на прикосновения его губ. Сердце Олега сжалось, словно перед прыжком в далеком десантном прошлом. Впервые за много лет он более не знал, что будет дальше, что произойдет в следующую минуту. Им на миг овладело явственное ощущение катастрофы. И, словно подсказка, с небес обрушилась молния. Она вошла прямо в стоящий поодаль бензовоз, и он вспыхнул ярким пламенем. Рядом с бензовозом стояло несколько грузовиков. Олег окинул взглядом только что поставленный палаточный городок и вдруг, неожиданно для самого себе, устремился к пылающему бензовозу. Последней его мыслью перед переходом в рефлекторно-героический режим стало ослепительное: «Сволочь!» А руки уже включали зажигание и выкручивали руль, чтобы на полном ходу направить горящий автомобиль подальше, в степь. Затылком ощутив спустя несколько секунд бешеной гонки, что костер на колесах отъехал достаточно далеко от лагеря, Олег пружинисто оттолкнулся и выпрыгнул из кабины по ходу движения. Мягкий степной чернозем смягчил удар. Неуправляемый грузовик промчался еще пару десятков метров и взорвался. Наступила тишина.

Олег поднял голову. К нему из темноты бежали люди. Первой его обняла Алена. Она сдавленно рыдала.

— Зачем вы это сделали?

Олег пожал плечами:

— Могли рвануть соседние машины.

Алена начала трясти его, насколько хватало ее девичьих сил.

— Не паясничайте! Вы же знаете, что это — аттракцион!

Ответить Олег не успел. Толпа оттеснила девушку от нечаянного героя. Люди хлопали его по плечам, возбужденно говорили ему прекрасные слова и порывались его обнять. Постепенно оживление вокруг стихло, и сквозь толпу прошел товарищ Роберт в развевающейся плащ-палатке. В руке у него была маленькая коробочка. Подойдя поближе, он извлек из нее блеснувший красной эмалью значок. Роберт приколол награду «За освоение целины» к груди Олега и обратился к собравшимся с речью:

— Товарищи! В жизни всегда найдется место подвигу. Комсомолец Зимин, рискуя своей жизнью, отстоял от гибели колхозное имущество. Уверен — так поступил бы каждый!

В традиционном коммунистическом брежневско-хонеккеровском порыве Роберт обнял и громко чмокнул его в район шеи. Олег не успел увернуться.

Палаточный городок будто засиял изнутри. Под брезентом вспыхнули керосиновые лампы и обозначили людей на натянутых плоскостях палаток густыми черными тенями.

В одном из домиков сидели друг перед другом Олег и Алена. Девушка приблизила лицо к лицу Олега и тихо спросила:

— Зачем вы это сделали?

Олег так же тихо ответил:

— Не знаю... Я не задумывался. Просто побежал.

Наклоняясь еще ближе, Алена успела задумчиво произнести:

— Может, и в самом деле вы не такой, как все...

Но именно в тот момент, когда они слились в объятии, на палатку обрушился ливень. Брезент прорвало, и сильный поток воды обрушился на влюбленных. Зашипев, погасла лампа. Олег и

Алена выскочили из палатки. Неожиданно перед ними возникла темная фигура в плащ-палатке и капюшоне, скрывавшем лицо. Мрачное лицо товарища Роберта. Он поднял голову и внимательно посмотрел на Олега:

— Комсомолец Зимин, медсестре Волковой завтра на работу. Спать ей осталось два часа двадцать минут.

Олег взорвался от возмущения:

— Она — взрослый человек, товарищ Роберт.

Новоявленный Торквемада укоризненно покачал головой:

— Она-то взрослая. А вот вы, Олег Николаевич, ведете себя ну прямо как ребенок. У нас же был с вами разговор...

Увидев выражение его глаз, Алена вдруг пригнула голову и, сжавшись, юркнула за палатку.

— Послушайте, а почему вы все время оказываетесь поблизости? У вас что, служба такая? — с издевкой спросил Олег.

Но Роберт вызов не принял.

— Вот именно. Служба.

Олег склонил голову набок. Физрук-худрук начинал его по-настоящему раздражать.

— А мне показалось — что-то личное.

Роберт деланно засмеялся каркающим смехом.

— Не смешите меня, Олег Николаевич! Ничего личного. Только работа.

Олег поднял голову к небу. Ливень шел с прежней силой. Мокрая рубашка неприятно липла к телу. А из-под плащ-палатки Роберта уютно выглядывал воротник теплого свитера грубой вязки, и погода никаких неудобств ему не доставляла.

Олег отлепил мокрую ткань от груди и вскользь бросил:

— Какой вы неромантичный, Роберт. Не действуют на вас ни пожар, ни эти буйства природы...

Роберт отмахнулся:

— Насмотрелся я на эти буйства, Олег Николаевич!

Откуда-то из складок его одеяния появился маленький микрофон-петличка. Физрук хозяйским шепотом отрывисто шепнул невидимому собеседнику:

— Центральная! Отключи целину!

Ветер и дождь тут же прекратились. Олег и Роберт стояли посреди огромного ангара, похожего на неправдоподобно гигантский кинематографический павильон, освещенного пульсирующими лампами в металлических абажурах. Вдоль стен были закреплены макеты тракторной армии. Повсюду — высоко под потолком, сбоку, сзади, внизу — были на гибких тоководах закреплены бесчисленные приборы и светильники. Палаточный городок в окружении колонны грузовиков, как оказалось, расположился в самой середине ангара, на островке пластика, имитировавшем целинную землю. Люди, спавшие в палатках, в таком окружении уже не смотрелись героями. Они скорее напоминали группу усталых и промокших бомжей, забредших сюда, чтобы переждать еще одну тяжелую ночь. Чуть в отдалении виднелся обгоревший бензовоз, застывший рядом с одним из десятков мощных вентиляторов-ветродуев.

Олег слегка опешил:

— Да уж. Эта штука посильнее «Фауста» Гете.

Роберт шикнул:

— Тихо, тихо, люди спят. Я знал, что вам понравится. Полюбуйтесь, вдруг что-нибудь пригодится для репортажа. Этот аттракцион проектировал лучший специалист Голливуда... Работал со Спилбергом, имеет «Оскар» за «Парк Юрского периода»...

Вокруг Олега возникали то виды Нью-Йорка с неправдоподобно реальным вертолетом, то развалины Афин, то дрейфующий во льдах корабль. Все двигалось, шумело, дышало и казалось абсолютно естественным.

Олег усмехнулся. С профессиональной точки зрения сделано все было действительно безупречно.

— Классная работа. Значит, и бензовоз не горел?

— Почему же не горел — горел. На нем система газовых горелок, имитатор взрыва, шумовая аппаратура.

— Центральная, дай бензовоз, — шепнул Роберт.

Бензовоз вспыхнул.

— Отключи бензовоз, центральная.

Бензовоз послушно потух.

— Убедительная игрушка, не правда ли? Теперь, извините, я должен обратно включить целину — не дай бог, кто-нибудь проснется! Центральная, верни целину в стандартный режим!

На уже успевшего согреться Олега вновь обрушился дождь. Завывание ветра глушило все посторонние шумы.

Олег нащупал в кармане медаль и протянул ее Роберту, тот отстранил руку. И, мягко обняв Олега за плечи, повел его куда-то в темноту.

— Не переживайте. Это все равно выглядело как подвиг. Мы запечатлели его на видеокассету, получите при выписке. Так что всегда сможете похвастаться...

Внезапно Олег понял, что перед ним стена. Ему стало очень холодно.

— Замерзли? — участливо спросил Роберт и продолжил: — Вон видите дверцу в стене? Это служебный выход. От него до вашей палаты — двести метров по аллейке. По теплу и солнышку.

Олег снова растерялся:

— Как это? Мы же полдня сюда добирались?

Роберт хлопнул Зимина по плечу:

— А как евреи могли сорок лет идти расстояние в триста километров от Египта до Земли Обетованной? По кругу, мой дорогой. По кругу!

Роберт извлек из кармана уже знакомый нам магнитный пропуск и провел им вдоль щели электронного замка. Невидимая до сей поры дверь приоткрылась. Подталкивая Олега наружу, он напутственно закончил:

— Доброй вам ночи, Олег Николаевич!.. Думаю, у нас получился хороший разговор. Но это последний. Лады? Ну, отдыхайте...

За дверью было раннее утро. Приятно пахло цветами и свежескошенной травой. Грязный и мокрый Олег, заросший колючей щетиной, в сером зековском ватнике, шел вперед, вдоль главной аллеи Парка. Ему казалось, что все эти гипсовые скульптуры пионеров с горнами и девушек с веслами за его спиной переглядываются и начинают шептать ему вслед осуждающие слова. Некоторые из клумб были обнесены красными флажками — там высаживали новые цветы. Но, проходя мимо этих ограждений, Олег не мог избавиться от мысли, что его и здесь, как одинокого волка, обложили со всех сторон незримые охотники.

Горничная сделала вид, что не заметила странного вида Зимина. А в номере его встретил Микола. Его мучило тяжелое похмелье, и он любовно рассматривал на столе граненый стакан с водкой, но подступиться боялся. Появление Олега дало ему желанную паузу. Поняв, что Зимин сначала пойдет в ванную, Микола удовлетворенно потер ладони и вышел на время на балкон.

Олег мылся яростно, словно готовя себя к какой-то уникальной гигиенической процедуре. Наконец он вышел из душевой и дал легкому сквознячку остудить истерзанное мочалкой тело. Микола тем временем держал стакан в подрагивающих руках и, глядя на него, философствовал:

— Слышь, брателло, неу... неудовлетворенность некая в организме наблюдается. Космос покорили? Покорили. Колхоз... колхозниц удовлетворили? Удовлетворили. Целину это... девственности лишили. А душа все равно чего-то требует... Предлагаю пикник на природе!

Не услышав ответа, Микола наконец опустошил наполненную почти до краев емкость. Прислушавшись к тому, как живительная влага прошла по организму, Микола констатировал:

— Братан! Як бы там ни було — водка и бабы здесь настоящие! Сам проверял! А в остальном зона как зона.

Олег кивнул и прошагал мимо похмельного Спинозы к телефону.

— Алло! Елизавета Петровна? Я определился.

Микола испуганно смотрел на трансформацию внешности друга. Тот ощерился и с утрированно грузинским акцентом зарокотал в трубку:

— С вами гаварыт Лаврентий Палыч Бэрия! Пришлите мнэ, пажалуйста, пэнснэ!

Не прошло и полуминуты, как открылась дверь, и двое рабочих в синих комбинезонах с эмблемой Парка вкатили в комнату приставной столик с дюжиной телефонов цвета слоновой кости и начищенными латунными гербами СССР на дисках. Один из трудяг робко спросил:

— Спецсвязь куда ставить, Лаврентий Палыч?

Олег небрежно махнул себе за спину. Ошалевший герой космоса поднял одну из трубок, послушал гудок и даже зачем-то понюхал трубку. Рабочие удалились, а Олег в полном соответствии с легендой облачился в белоснежные одежды всесильного комиссара госбезопасности. Когда он закончил поправлять летний картуз, в дверь постучали, но никто не вошел. В ответ на недоуменный взгляд Олега Микола только пожал плечами и налил себе второй стакан водки — но только наполовину. Олег решительным шагом прошел к двери. В коридоре по стойке «смирно» стоял невысокий лысый человечек в генеральском мундире. Увидев Олега, он словно попытался взлететь из и без того невозможно прямого положения.

— Начальник вашей личной охраны генерал Бурда!

Олег удовлетворенно хмыкнул. Пенсне почему-то чуть-чуть запотело. Олег снял его двумя пальцами и, держа в руке, скомандовал:

— Вольно, товарищ Бурда. Желаю принять душ Шарко из рук ударника труда Волковой Алены Ивановны!

Генерал вздохнул:

— Товарищ министр! Маршруты вашего передвижения утверждает Политбюро. В расписании дня душ Шарко не значится!

Олег не ожидал такого ответа, но спесиво бросил в ответ:

— Плевать!

Генерал помотал головой:

— Никак невозможно плюнуть, товарищ министр государственной безопасности. По маршруту вашего движения окна заложены кирпичом, заварены автогеном все водопроводные люки и на крышах расставлены специально обученные снайперы!

Олег решил взять напором:

— А водолазы в пруду? Почему я должен напоминать? Вопиющая халатность!

Чтобы служба генералу не казалась медом, Олег, окончательно войдя в образ, схватил Бурду за грудки и приподнял, а потом резко отпустил. Старый служака приземлился практически бесшумно в третью балетную позицию. А Зимин-Берия продолжал бушевать:

— Молчать! Равняйсь! Смирно! Исполнять, мать вашу! За мной, шагом марш!

Удовлетворившись произведенным взбучкой эффектом, новоиспеченный нарком стремительно направился по коридору к выходу.

В лечебном корпусе было тихо. Олег практически добежал до знакомой двери с табличкой «Физиотерапевтический кабинет» и рванул ее на себя. Сзади пыхтел коротконогий генерал. В нос Олегу ударил терпкий запах шпаклевки. Знакомое помещение процедурной было заставлено строительными лесами и затянуто полиэтиленом.

Олег гневно оглянулся на Бурду и резким движением поправил пенсне. Начальник охраны растерянно пожал плечами и как-то по-детски сморщил нос.

— Извините, товарищ министр. В помещении душа обнаружены подслушивающие устройства иностранного производства. В большом количестве.

Олег сжал губы в нитку и хлопнул дверью так, что в процедурной что-то или кто-то громко упал. Самым обидным было, что незримый противник шутя упреждал его действия и замыслы. Тем сильнее Олегу хотелось победить.

Но для этого следовало собраться с мыслями. Заложив руки за спину, Зимин-Берия вышел из лечебного корпуса и медленно зашагал к морю. Генерал безупречно держал дистанцию в полшага сзади. Отойдя от здания, Олег остановился и тихо попросил своего золотопогонного проводника:

— Генерал, я смотрю, ты нормальный человек. Помоги найти девочку.

Коротышка просиял:

— Попробуем, товарищ министр.

Олег не совсем понял причину восторгов Бурды, но искренне сказал:

— Спасибо. Ты настоящий мужик, генерал.

Сопровождающий Олега заиграл желваками. Что-то в словах Зимина его явно беспокоило. Наконец он прочистил горло и совершенно другим голосом сказал:

— Я — такой же генерал, как ты — министр. Тридцать лет в Малом театре проработал. Между прочим, заслуженный артист России.

Олег смутился.

— Извини. Я думал — ты просто ряженый. Как все здесь.

Актер гордо выпрямился.

— У нас ряженые хулиганов в пивной изображают. А генерала Девятого главного управления МГБ надо играть хорошо. Тут самодеятельностью не отделаешься.

— И что делать? — вышел из уверенной бериевской роли Олег.

Генерал оглянулся и одними губами сформулировал:

— Сходи к главврачу.

Олег рванулся к административному корпусу почти бегом.

У мощной дубовой двери приемной главного администратора Парка генерал остановился. Сначала Олег недоуменно оглянулся, но потом понял, что за исключением маленького лирического отступления актер продолжает играть свою хорошо оплаченную роль. Прежде чем войти, Зимин успел подумать: «"Стокгольмский синдром", блин. Начинаю верить своим охранникам».

В приемной, кроме слоноподобного охранника и пожилой секретарши, сидел И.В. Сталин. Он с интересом углубился в брошюру «Разоблачение культа личности». Зимин молнией пролетел мимо него в кабинет. Генерал, козырнув генералиссимусу, застыл в дверях.

— Сейчас моя очередь, — возмущенно сказал вождь всех народов.

— Извините, Иосиф Виссарионович, товарищ из Москвы.

В голосе секретарши звучала профессиональная непреклонность.

Главврач поднялся навстречу Зимину.

— Слушаю вас...

Олег с ходу сорвался на крик:

— Почему министр государственной безопасности СССР не может принять назначенный вами душ Шарко?!

Прежде чем ответить, главврач бросил косой взгляд на какие-то бумаги, лежавшие у него на столе. Видимо, увидев в них нечто, приятное для себя, он улыбнулся.

— Да ради бога, о чем вы говорите! У нас семь отделений физиотерапии. Но вас, между нами говоря, интересуют не медпроцедуры, а медперсонал!

Олег рявкнул:

— Как вы разговариваете с членом правительства?

Главврач словно ждал этой атаки. Он отступил на шаг и выудил из кипы документов на приставном столике какую-то распечатку.

— Простите, товарищ министр, для вас подготовлена интересная и разнообразная программа. Вас ожидает парад отдельной дивизии МГБ и обед в клубе советских писателей.

Последнюю фразу благообразный врач практически отчеканил, глядя прямо в глаза Олегу:

— Но в вашей программе нет и не может быть медсестры Волковой...

Олег глаз не отвел.

— Это мы еще посмотрим...

— И смотреть нечего. Плохо же вы себе представляете нашу систему.

Вдоль спины Олега просквозил давно уже забытый холодок. А главврач продолжал:

— В том-то ее и сила, что за аморалку министр отвечает точно так же, как любой рядовой член партии.

Олег понял, что игра окончена. Победить систему, подчиняясь ее правилам, невозможно.Он снял летний наркомовский картуз и швырнул его на диванчик в углу кабинета главврача.

— Я не был и никогда не буду членом ВАШЕЙ партии...

— Правильно, — заметил назидательно главврач. — Вы член ее Политбюро. Но даже это уже не имеет значения.

— Почему? — спросил Олег.

— Пойдемте на балкон, — позвал его собеседник.

Внизу, в тарелке репродуктора на уличном столбе, что-то хрустнуло и раздался знакомый голос Левитана:

— Внимание, внимание! Говорит Москва! Передаем сообщение ТАСС. Вчера по решению Верховного суда СССР расстрелян, как агент мирового империализма, бывший министр госбезопасности Лаврентий Берия...

Главврач похлопал Олега по плечу:

— Вот так-то, Олег Николаевич...

Олег развернулся и пошел прочь из кабинета. Там все так же стоял навытяжку генерал Бурда. Олег оглядел приемную и выругался:

— Сука этот главврач!

Сталин от неожиданности подскочил на месте и потом вынул изо рта незажженную трубку и жестко сказал:

— Лучше надо было работать, товарищ Берия, когда я поручил вам дело врачей!

8

Вернувшись в свой номер, Олег задумался. Похоже, он был не первым, кто пытался жить в Парке по своим правилам. Слишком уж легко и даже с некоторым изяществом противники переигрывали его и упреждали его задумки.

Но помимо личной обиды у Зимина появился и профессиональный интерес. Воссоздание коммунизма на деньги частных инвесторов, по сути своей, казалось идеей шизофренической. Но «Парк советского периода» существовал и, помимо отдыхающих, здесь работали сотни людей. Они не могли не чувствовать шаткую двойственность происходящего. Пока великолепная модель советского прошлого находилась в состоянии неустойчивого равновесия. Но что будет, если ее чуть-чуть подтолкнуть в сторону от намеченного курса?

Как отреагируют на это безвестные кукловоды виртуальной реальности Парка?

Олег вышел на балкон. Перед ним раскрывалась все та же картина вечного праздника. Что из этого было нарисовано на выгородках и задниках?

Чтобы обрушить все великолепие Америки XX века, понадобилось всего три «Боинга» и пять тысяч трупов в центре Америки. После этого начались проверки, прослушки, цензура, тотальный контроль за Интернетом и войны за семью морями.

Что же на самом деле кроется за созданным увлекательным мифом о «прекрасном советском прошлом»? То же, что и за сказкой об «американской мечте»? В конце концов, вполне возможно, что все сегодняшние мастера манипуляций сознанием держат в заветном уголке полочку книг об истории «Третьего рейха» и в узком кругу, под виски или водочку с селедочкой, иногда проговариваются, что они — всего лишь эпигоны, приспособившие к сегодняшним реалиям систему доктора Геббельса...

Значит, Парк — это огромный эксперимент по управлению сознанием людей в чьих-то интересах? А значит... Значит, где-то за кулисами должен быть и «фюрер»?..

Или не за кулисами... Быть может, сама система Парка уже породила прототип «нового вождя» для завтрашней России?

На какой-то миг все эти теоретические выкладки даже притушили у Олега стремление вновь увидеть Алену Волкову. Но чуть позже он опомнился — и ему стало стыдно. Грустный, он брел мимо золотого фонтана «Дружбы народов».

Вокруг царила ставшая уже привычной атмосфера вечного праздника. Тугие струи воды искрились от миллионов мелких брызг. На гранитном парапете, блаженно улыбаясь, сидели отдыхающие в белых чесучовых костюмах. От своего «старшего брата» — фонтана на ВДНХ этот малыш отличался только одним. Вместо женских статуй центральный ансамбль окружали изваяния мужчин. Мускулистыми руками они воздевали к небесам венки, снопы и прочие атрибуты счастливого труда. Если бы у Олега было чуть больше времени, он бы не отказался поразмышлять о причинах такой решительной замены полов. Но ему еще предстояло деликатно протиснуться через ряды палаток и навесов на площади. Там представители всех народов великого Советского Союза наперебой зазывали покупателей и предлагали попробовать дыни, шашлыки, мед, клюкву, гранаты, строганину, долму и массу других аппетитных прелестей. Удивительно — но вокруг этого пищевого великолепия не было ни одной осы или мухи, а сами продукты словно только что сошли со страниц микояновской «Книги о вкусной и здоровой пище».

Олег двигался вперед, бормоча извинения, и пару раз даже попытался с кем-то раскланяться. Наконец перед ним завиднелся дальний угол площади. Там стояла изумительной красоты «двадцать первая» «Волга», покрашенная по моде начала шестидесятых в два цвета. Рядом со скучающим видом грыз соломинку Микола. Увидев друга, он махнул ему рукой и лукаво улыбнулся. Олег не мог не залюбоваться лучшей машиной советского автопрома. Да, возможно, ЗИЛы и «Чайки» возили членов Политбюро. Но настоящей красотой дизайнеры все-таки любовно наделили именно «Победы» и первые «Волги». Олег понимал, что сообразно замыслам создателей Парка внутри шикарного советского кузова наверняка стояла начинка от немецкого «БМВ», а то и от английского «Бентли», но сейчас это не имело значения. Микола любовно погладил маленькую фигурку вздыбленного оленя, венчавшую капот.

— Ну, как тебе «волжанка»? Подарок руководства. Нам, космонавтам, сам понимаешь, полагается.

Олег понимающе кивнул и показал большой палец.

Микола улыбнулся:

— Кстати, твое задание выполнено. Вот данные космической разведки.

Увидев конверт со спутниковыми фото и картами-стометровками, Олег изумился:

— Откуда?

Микола ехидно заметил:

— Нет крепостей, которые бы не сдали коммунисты. За умеренную плату, конечно. Смотри — это Россия. Вот — наш Парк. Вот — Кремль. А вот Музей атеизма имени Луначарского. Он же храм Василия Блаженного. Там у них сегодня собрание. Ничего святого у блядей нет. Антихристы. Песочат там твою Алену по полной программе всем трудовым коллективом.

Олег просиял:

— Спасибо!

Увидев, как Олег двинулся прочь, Микола замахал руками:

— Э-э-э! Ты куда? Прыгай! Поехали.

Двери храма-музея блаженного Луначарского были открыты. Прямо в холле висела огромная стенгазета. Ватман был аляповато разрисован от руки, некоторые статьи написаны аккуратным женским почерком, а некоторые отпечатаны на машинке. Центральное место во всей этой самодеятельности занимала масштабная карикатура с броским заголовком: «Сегодня олигарху даст, а завтра — Родину продаст!». Безвестный редактор смаздрячил не слишком пропорциональный фотомонтаж. Лицо Алены было прилеплено к телу практически голой дивы со смачно и любовно выписанными вторичными половыми признаками, сидевшей на коленях у носатого типа в цилиндре и с сигарой, имевшего отдаленное сходство с Олегом. Олег сорвал мазню со стены не столько из личной обиды, сколько из эстетического протеста. Микола с интересом посмотрел на борьбу Зимина с жесткой и пачкающей руки бумагой и показал пальцем в дальний угол коридора. Там чуть поблескивала под стеклом табличка «Красный уголок».

— Я здесь подожду, Олег?

— Хорошо, — кивнул Зимин.

На небольшой сцене стоял стол, покрытый красной скатертью и снабженный обязательным для такого рода сборищ мутным графином с чудовищной пробкой и парой стаканов. Председательствовал товарищ Роберт. По левую руку от него со скорбными лицами сидели вохровец Петрович, сладкоголосая Клавдия Федоровна — администратор главного корпуса и две профсоюзные активистки неопределенно-климактерического возраста. Алену посадили сбоку, на отдельный стул. Зал был заполнен сотрудниками в рабочих халатах и комбинезонах, пришедшими прямо со смены. Похоже, судилище только начиналось. Роберт поднял руку и, когда шум в зале затих, торжественно объявил:

— От цеха холодных закусок слово имеет подавальщица первой категории Анцифирова Ирина.

Но к микрофону никто не вышел. Среди присутствующих пробежал легкий шумок и послышались смешки. Роберт побагровел.

— Где Ирина? Нет Анцифировой?

Клавдия Федоровна имела неосторожность, сидя в президиуме, раскрыть рот. Заметив краем глаза ее шевеления, председательствующий толкнул в ее сторону листок и зашипел:

— Тогда иди ты!

— Почему я?

— Иди, я сказал!

После этих слов Роберт объявил на весь зал не допускающим возражений тоном:

— Слово имеет администратор первой категории Лежук Клавдия Федоровна.

Одарив физрука долгим неласковым взглядом, коротконогая женщина засеменила к трибуне. Возложив на нее свой внушительный бюст и кое-как расположив на оставшемся пространстве бумажку, Клавдия Федоровна приступила к декламации доклада:

— Дорогие товарищи!

Зал взорвался аплодисментами.

— Израильская, говорю, военщина, как мать говорю, как женщина...

Роберт еще больше побагровел и постучал пальцами по столу. Выступающая осеклась и посмотрела сначала на него. Роберт кашлянул. Кладвия Федоровна вернулась взором к бумажке, вгляделась и тоже покраснела.

— Ой, извините!

Микрофон исправно передал все ее охи и шуршания листочками в поисках нужной страницы. Наконец все нашлось. Клавдия Федоровна выудила непонятно откуда очки и вдохновенно предприняла вторую попытку:

— Дорогие товарищи. Все, как один... в нашем цехе... цеху...

Второй фальстарт был более катастрофичным. Клавдия Федоровна начала потеть и шумно дышать.

— Товарищ Роберт... «Ху» или «хе»? Здесь неразборчиво! Нет, правда, «ху» или «хе»?

Председательствующий сжал губы и одним толчком выдохнул:

— Ху!

Кладвия Федоровна наконец проскочила щекотливое слово.

— ...це-ху администраторов возмущены до глубины души недостойным поведением коллеги, который... ага... который нарушил наш моральный кодекс... падла...

Зал охнул. Даже самые сонные присутствующие начали напряженно вслушиваться в речь. Клавдия Федоровна ощутила перемену в настроении аудитории и решила еще раз провериться по бумажке.

— Падле...

Зал снова зашумел. Выступающая встревожилась не на шутку.

— О ком речь — не пойму!

Товарищ Роберт сжал кулаки.

— Ты дальше читай.

Клавдия Федоровна пару секунд молча шевелила губами, потом облегченно вздохнула и выпалила:

— ...подлежащий неукоснительному...

Судя по мимике женщины, дальше по тексту шло нечто совершенно неудобоваримое. Она скривилась и отодвинула бумажку.

— Ну и почерк!

Товарищ Роберт выпрямился и желчным голосом сказал в пространство:

— Непонятно — говори своими словами. Не маленькая!

Избавившись от шпаргалки, Клавдия Федоровна испытала видимое облегчение.

— Я и скажу. По-простому. По-рабочему. Какого хрена!

В зале раздались восхищенные возгласы. Кто-то ударил в ладоши. Но разошедшаяся дама воздела руки и заголосила с трибуны:

— Мне, может, тоже хочется... удовольствий, аж зубы ломит. Но я же терплю!

Одна из профсоюзных активисток в президиуме начала яростно кивать головой, одобряя пафос речи стойкой администраторши. А та уже рубила с плеча, показывая на Алену:

— А она?!. На переднем-то краю?!

От столь проникновенных слов в зале воцарилась небольшая смута. Сидевший на «галерке» усатый дядька трубным голосом перекрыл всеобщее возмущение:

— Если уж спереди такое вытворяют, то, глядишь, и сзади скоро начнут!

Глядя на его решительное лицо, Олег понял, что если уж этот трудящийся чего и начнет, то окружающим будет явно не сдобровать.

Профсоюзница из президиума прекратила кивать и, подвывая, начала декламировать:

— «Любовью дорожить умейте, с годами дорожить вдвойне! Любовь не вздохи на скамейке и не прогулки при луне!»...

Словно повинуясь этому зову голодной волчицы, в задних рядах повскакивали еще несколько мужчин. Все они, как на подбор, были обременены немалыми пузиками и поблескивали пушистыми лысинами. Шум в зале усиливался, но женский голос со сцены слышался достаточно явственно и громко. Прижав руки к груди, любительница классической поэзии исповедовалась:

— Я лично, например, в первый и последний раз уступила мужчине в одна тысяча...

Товарищ Роберт вышел из-за стола и закрыл даму от неосторожных взглядов. Его мощный бас заставил зал притихнуть:

— Замолчи, Данелян! Ближе к делу! Федоровна! Заканчивай!

Разрумянившаяся Клавдия Федоровна выдохнула могучей грудью:

— Кончаю!

Зал затих окончательно.

— Так что я говорю, женщины, — бардак получается.

Финал удовлетворил всех, кроме Роберта.

— Конкретнее. Предложения!

— Цех администрации и ХОЗУ за то, чтобы Волковой выговор.

Роберт с грацией шекспировского Отелло обратил взор на Алену. Интонация его вопроса тоже тянула на классическую трагедию:

— Волкова, чего глаза прячешь? Ты подними голову.

Алена вытерла слезы белым платочком. Зал завороженно следил за развитием событий. Мавр занес над бедной девушкой карающую длань. Но не коснулся ее, а широким жестом показал в зал:

— Ты посмотри в глаза родному коллективу. Кто еще хочет выступить?

Из последнего ряда поднялась рука, а за ней и мощная фигура Олега.

— Я!

Идя по проходу к сцене, Олег с радостью заметил, что Алена смотрела на него со сцены чуть исподлобья, но восхищенно. Один этот взгляд оправдывал сейчас для Олега все, что ему предстояло вытерпеть в этом душном зале. Подойдя к сцене, Олег оглядел зал:

— У меня есть предложение. Я беру Алену Ивановну на поруки. То есть на руки. А вы остаетесь со своим «ху или хе неразборчиво».

Женщины в первом ряду машинально отпрянули от Зимина. А он прошел по лестнице к стулу, где сидела Алена, подхватил ее легкое и горячее тело и направился к выходу. На прощание Олег, усмехнувшись, бросил в зал:

— По-моему, ребята, вы тут заигрались.

Гробовая тишина сопровождала путь Зимина и Алены к дверям. Плечистые дружинники было сдвинули плечи, но в лице у Олега было столько ярости, что они не посмели задержать его. Увидев, как истончились ряды охраны, Роберт заорал со сцены :

— Поставьте девушку на пол!

— Олег Николаевич! Не усугубляйте! Ну будьте же благоразумны!

На ступеньках храма никого не было. Куда-то испарился и Микола вместе с машиной. Роберт с дружинниками вылетел на крыльцо.

Олег прикрыл своим корпусом девушку.

— У Алены Ивановны сегодня отгул!

Роберт усмехнулся. Похоже, он сумел справиться с растерянностью первых минут.

— Не отгул, а прогул. Идите, товарищ Волкова, работать. Идите...

Олег не видел, что творится у него за спиной, но по внезапно возникшему ощущуению предательской пустоты понял, что Алена повиновалась барственному распоряжению Роберта. Он оглянулся и успел поймать мимолетный тоскливый взгляд девушки. А Роберт уже спускался к нему по ступенькам.

— Олег Николаевич, вы наш почетный отдыхающий. Вам все разрешено; ну выпили лишнего — имеете полное право. Ну зачем же дебош устраивать?

Олег пошел ему навстречу, потирая костяшки ладони правой руки. Хоть этим он мог сейчас отомстить ненавистному физруку-затейнику.

— Да ты, слизняк, настоящих дебошей не видел!

Но времени у Олега не хватило даже на один хук правой. Дружинники быстро и профессионально скрутили Зимина. От боли в заломленных руках он почти потерял сознание.

Пока Олега тащили по красным ковровым дорожкам административного корпуса, он из последних сил цеплялся ногами за ворсистую ткань. Внезапно в поле его зрения попали женские туфли. Процессия остановилась и раздался знакомый голос сестры-хозяйки добрейшей Елизаветы Петровны.

— Добрый день, сынки! — Елизавета Петровна как будто не замечала невероятной мизансцены.

— Не видела, главный у себя? — В голосе Роберта волнения тоже заметно не было.

— Только вернулся. Велел не беспокоить, касатики! А у вас что-нибудь срочное?

Отчаянно извернувшись, Олег смог поднять глаза на Елизавету Петровну. Она смотрела на него как на пустое место. Могучие руки дружинников как будто навсегда вынесли Зимина за границы ее жизни как презренного врага народа. Дружинники снова пригнули его голову к земле, а Роберт прошипел:

— Срочное, Елизавета. Срочное!

Подручные Роберта втащили Олега в кабинет главного врача. Александр Анатольевич несколько секунд изумленно взирал на происходящее, а потом выскочил из-за стола:

— Роберт! Вы что тут себе позволяете? Что происходит?

Роберт монотонно отчеканил:

— В состоянии сильного алкогольного опьянения отдыхающий Зимин пытался сорвать собрание трудового коллектива.

Страх в глазах главврача был совершенно искренним. Он явно помнил, кем Олег был за воротами Парка.

— Отпустите его!

Роберт брезгливо спросил:

— Под вашу ответственность?

— Немедленно!

В голосе главврача послышался металл. Он еще не закончил фразу, а хватка могучих лап дружинников ослабла. Товарищ Роберт пошел на попятную:

— Уверены, что справитесь один?

Главврач буквально вытолкал его из кабинета вместе со свитой.

— Товарищ Роберт, вы свободны! Ясно?

Олег сел в удобное кожаное кресло и начал растирать затекшие руки. Кожа под волосами, за которые его тащил Роберт, неприятно болела.

— Олег Николаевич! Олег Николаевич! Бога ради, извините! Сейчас мы с вами хлопнем коньячку, кофейку выпьем...

Главврач захлопнул за Робертом дверь и быстро прошел к высокому шкафу с дверцами из узорного дымчатого стекла. Там скрывался сейф. Его охранял бронзовый бюстик «железного Феликса».

Очень скоро из глубин железного ящика были извлечены рюмки, бутылка «Двина» пятнадцатилетней выдержки, коробка конфет и нарезанный лимон. Лицо главврача светилось искренним сочувствием.

Олег залпом заглотнул коньяк и некоторое время жевал кислую плоть цитруса. Боль в кистях отступала, и мысли потихоньку возвращались в логическое русло. Главврач кашлянул и осторожно продолжил беседу.

— Еще раз приношу глубочайшие извинения за действия наших сотрудников. Конечно, они вели себя по-хамски, нет слов, но и вы постарайтесь понять их.

Олег даже поперхнулся.

— Понять? Их?

Главврач развел руками:

— Олег Николаевич, это же сторожевые псы режима. Я имею в виду режим дня. Пока вы не нарушаете правил — вас не трогают. Но если нарушили... Вы же не будете отрицать, что пили?

Олег усмехнулся:

— А кто у нас не пьет?

Собеседник понимающе кивнул:

— Все пьют. Все. Поголовно. Но не все потом срывают собрание трудового коллектива.

Олег уже не в первый раз поймал себя на мысли, что речи главврача напоминали ему путешествие в тумане. Оно начиналось от знакомых и ставших привычными берегами нынешнего времени, а заканчивалось черт-те где в прошлом... А может, в будущем? В любом случае спорить с Александром Анатольевичем, по существу, было равносильно бою с силиконовым манекеном. Встречные удары Олега вязли в сияющем благообразном облике главврача, и беседа не приносила облегчения, а только утомляла. И все-таки Зимин буркнул:

— Устроили тут партсобрание эпохи застоя.

Округлый и велеречивый ответ не заставил себя ждать:

— Во имя сохранения нравственности.

Олег невольно вспомнил исходившую томным жаром колхозную библиотекаршу на танцплощадке и насмешливо спросил:

— В этом борделе?

Главврач приподнял брови в искренней гримасе удивления.

— Борделе?! Вы глубоко ошибаетесь, Олег Николаевич. Бордель — это там, у вас. А у нас...

Олег скривился:

— А у вас — монастырь?

— Если под этим словом понимать место, где люди очищаются от скверны — то да, здесь монастырь.

«Он хоть сам верит в то, что говорит?» — подумал Олег, а вслух спросил:

— Интересно... А ваш колхоз — это тогда что? Публичный дом при монастыре?

Главврач вернулся на свое место за начальственным столом.

— Допускаю и такую точку зрения. Хотя сам называю это сексуальным НЭПом. Потакая человеческим слабостям, мы зарабатываем деньги для осуществления наших высоких идеалов. Да и сотрудницы у нас тоже отобраны из идейного контингента.

— А что же это у вас за идеалы и идеи такие? Главврач привстал из-за стола.

— А все те же. Которые вы предали и втоптали в грязь.

Александр Анатольевич резкими движениями принялся рубить воздух ребром ладони.

— Бесплатное образование! Бесплатное жилье! Бесплатное медицинское обслуживание! Право на труд! Обеспеченная старость! И, главное, полное равноправие!

Олег вдруг понял, что ему, родившемуся и выросшему в стране, где все это было и служило и ему самому, трудно спорить с этими очевидными истинами. А главврач продолжал атаковать:

— У нас не может быть ни миллионеров, ни нищих. Все абсолютно равны. Люди веками мечтали о таком будущем — черт побери, мы его строим! Здесь и сейчас!..

Олег еще раз убедился, что с пафосом нужно быть осторожным. Никакой блеск в глазах не способен отвлечь внимательного наблюдателя от очевидного идиотизма логики собеседника.

— Послушайте, а вам не кажется, что ваши рассуждения отдают раздвоением сознания? Вы, уважаемый Александр Анатольевич, хоть понимаете, что строите все эти красоты на деньги олигархов и для олигархов в отдельно взятом Парке?

Но главврач уже закусил удила.

— Ну хотя бы и так! Вы-то даже и не пытаетесь!

Олег не совсем к месту возразил:

— Была попытка. Обошлась в сорок миллионов жизней.

Главврач насмешливо сверкнул глазами:

— Вот, вот. Интересная закономерность — как только господам демократам мешают трахнуть бабу, так они тут же вспоминают 37-й год, Берию и НКВД!

Олег начал заводиться:

— Вот, вот. Как только исчерпываются аргументы у товарищей коммунистов, они тут же хватаются за аморалку!

— А у вас не аморалка? — ехидно спросил главврач. Не получив моментального ответа от Олега, он продолжил: — У вас любовь? У вас высокие чувства? Так сказать, серьезный курортный роман сорокалетнего теле-Ромео и юной Джульетты из кабинета душа Шарко?

Олег удивленным взглядом посмотрел, как главврач садится за стол и достает несколько листов чистой белой бумаги. Александр Анатольевич сдвинул на нос очки и поднял вверх указательный палец правой руки.

— Значит, так, уважаемый Олег Николаевич! От имени нашего трудового коллектива я предлагаю вам руку и сердце Алены Ивановны Волковой. Свадьбу сыграем прямо здесь. Стол и оркестр с нашей стороны, телекамеры и пресса — с вашей. Мы получаем замечательную рекламу, а вы получаете чудесную жену.

Главврач помолчал и добавил:

— Процедурную сестру со средним специальным образованием. Уверен, она будет блистать на всех ваших светских раутах и презентациях... По рукам?

Олег молчал. И в самом деле, что он мог сказать? Желание получить запретный плод может поглотить всю жизнь и стать ее смыслом. Но когда недосягаемое вдруг со всего размаху падает тебе на темечко, ты вдруг понимаешь, что всего лишь хотел надкусить и выбросить. И уж никак не хранить искомое вечно.

— Так по рукам, Олег Николаевич? — прервал молчание главврач.

Олег продолжал молчать. Слова главврача требовали ответа. Но отвечать прямо сейчас Зимин был не готов. И какая же пустота возникала внутри ото всех этих мыслей...

9

Олег ощущал себя невероятно опустошенным. Он вспомнил слова своего друга, журналиста-стрингера Юры Горшкова: «Знаешь, иногда так хочется застрелить какую-нибудь сволочь, которая дает тебе интервью, не успев обтереть нож от крови. Но нельзя. Иначе хана тебе, как журналисту. Это выбор — или воюй, или снимай фильм о войне».

Но, чтобы воевать за Алену с главврачом, Олегу теперь нужно было некое высшее оправдание. Противостоять грубой физической силе товарища Роберта было куда проще, чем сладким и правильным речам Александра Анатольевича. Куда проще было бросить все и уйти к ненасытным колхозным «библиотекаршам» и не думать, прав ли был собеседник или не прав.

Вечный праздник «Парка советского периода» не предусматривал никаких боевых действий — кроме, пожалуй, потешных. Олег в полной растерянности добрел до доски объявлений и поискал глазами расписание веселий и развлечений на остаток дня. Перед ужином планировалось прифронтовое сражение с немцами на Малой Земле.

Небольшой лесочек у самого уреза морского побережья скрадывал хлопки пиропакетов и раскаты автоматных очередей. Но бой, по всей видимости, шел жаркий. Едва Олег миновал опушку, как услышал гортанную немецкую речь. Стоявший неподалеку кустик внезапно ожил и схватил Зимина за плечо. Олег увидел перемазанное болотной маскировкой лицо Миколы в грязной гимнастерке с кубарями майора и каске с привязанными сверху ветками.

— Ложись, Олежек!

— Так холостыми стреляют!

— Не факт! — хмыкнул Микола и кивнул в сторону достаточно реалистичного трупа красноармейца с дымящейся дырой в черепе.

Олег внутренне еще раз восхитился мастерством местных гримеров и постановщиков спецэффектов, но на всякий случай пригнулся и побежал за Миколой. Вокруг небольшой лощинки тянулась оборудованная траншея. Друзья спрыгнули туда.

Внезапно Микола остановился и выглянул за бруствер.

— Побачь, Олежек!

Олег поднес к глазам бинокль. Небольшая полянка была затянута пороховым дымом. Противник вел по нашим бойцам настильный пулеметный огонь, но храбрые красноармейцы то и дело поднимались из окопов в позы, запечатленные когда-то Хейфицем на фронтовых фотографиях, звали товарищей за собой в атаку и падали, сраженные пулями. Откуда-то из зарослей глухими стонами огрызались советские минометы, и иногда им удавалось накрыть огневые точки противника. После одного из залпов группа немцев, выехавших из леса на мотоцикле с прицепом, продемонстрировала великолепную каскадерскую подготовку, разлетевшись во все стороны после взрыва снаряда.

Олег вопросительно посмотрел на Миколу. Тот, перекрикивая шум боя, махнул рукой:

— К морю надо прорываться, братка! К морю! Там наши!

Однако не все было так просто. У самой опушки ходы сообщения прерывались, и нужно было перебежать через небольшую прогалину в зарослях, открытую для обзора и прострела.

Олег было задался вопросом, зачем ему все эти игрульки, но вдруг увидел, как на вершину прибрежного холма взлетел конь, ведомый Аленой. В кожаной куртке и зеленых галифе она была невыразимо прекрасна. Сомнения отпали. Олег должен был быть рядом с любимой женщиной. И разбираться, на кой черт ему эта любовь, уже не хотелось. Он встал из окопа. И именно в этот миг конь унес Алену прочь, куда-то в сторону поляны. Перестрелка там становилась все ожесточеннее. Микола не дал Зимину устремиться вслед за девушкой. Он буквально потащил его за собой, крича на ходу:

— Олежек! Нэ журись, Олежек!

Над головой хлопнул разрыв снаряда. У Олега заложило уши.

«Ни хрена себе!» — успел подумать он, прежде чем нырнуть во внезапно открывшийся под ногами люк землянки.

Когда шум в ушах прошел, Олегу показалось, что он оглох. Было абсолютно тихо. Бой кончился. В тусклом свете настольных ламп, сделанных из сплющенных снарядных гильз, Олег рассмотрел орлиный профиль Адмирала. Тот сидел за столом и изучал карту, двигая по ней здоровенную бутыль самогона. Рядом стоял Микола. Его, похоже, зацепило, потому что на гимнастерке была видна кровь. Олег понял, что и он сам когда-то успел переодеться в гимнастерку с капитанскими шпалами в петлицах. Самое главное, что этот момент у него в памяти совершенно не отфиксировался. Увидев, что Олег вертит головой, но молчит, Микола поморщился и хлопнул его по плечу:

— Олежек, ну что ты сидишь, как отмороженный? Отвоюем мы твою Ленку...

Олег не ответил. Его глаза привыкали к полумраку, и он заметил, что за спиной Адмирала на стене висит гитара-семиструнка. Именно ее сейчас и не хватало для полного погружения в ситуацию. Думать о посторонних материях Олегу не хотелось. Он снял инструмент с крючка и проверил настройку. Гитара звучала на удивление ладно. Услышав первые аккорды «Темной ночи», Адмирал повернул голову и пододвинул Олегу стакан.

— Ты пей, штурман, пей! Нос не вешай. Сейчас досидим, допьем, потом выйдем на вероятного противника — и оторвем ему главный калибр по самые помидоры!

Олег выпил самогон, как воду, и снова принялся терзать струны. Закончив второй куплет песни, он хлопнул рукой по корпусу гитары и, пытаясь преодолеть вновь усиливающийся шум в голове, сказал:

— Да бросьте вы, ребята! Это я — старый козел без тормозов! Впутал девчонку в историю...

Видя, как Олег «поплыл», Микола пододвинул поближе тарелку с нарезанными овощами и салом.

— Перестань ты себя казнить, а то до аэродрома не дотянешь. Главное — закусывай!

Олег нехотя надкусил соленый огурец и едва не подавился, услышав командный рык Адмирала:

— То-ва-а-а-ри-щи офицеры!

Рефлекс сработал безупречно у всех присутствующих. Все трое вскочили с мест и вытянулись во фрунт. И как оказалось — не зря. В дверь блиндажа легкой походкой впорхнула Алена Волкова в форме старшины медслужбы.

Олег ожидал чего угодно, но только не ее теплой улыбки.

— Досталось вам из-за меня, Олег Николаевич...

Олег смутился, как подросток, и смог только выдавить из-себя:

— Я за вас беспокоюсь.

Алена махнула рукой:

— Чего за меня беспокоиться? У нас путь известный. Завтра в прачечную переведут. Послезавтра — уволят. А там... «Свобода нас встретит радостно у входа». У Пушкина вроде так, кажется.

Олег любовался девушкой. Она словно сбросила с себя тяжелый груз и от облегчения была готова шутить и веселиться. Однако его слух уловил бряцанье стаканов. Микола разливал самогон по-новой. Посмотрев жидкость на просвет, он улыбнулся и сказал:

— Вот и выпьем за свободу! Вам капнуть?

Алена отрицательно замотала головой:

— Я вообще-то не пью.

Адмирал странно посмотрел на Миколу и засуетился, приговаривая:

— Ну, ребят, мы тут... Короче, нам с Миколой еще часовых поменять надо.

Олег усмехнулся этой ребяческой хитрости.

— Ладно, мужики, вы тут сидите, планируйте, а я Алену Ивановну провожу. Разрешите проводить?

Алена улыбнулась уголками губ:

— Разрешаю.

У самого леса горели костры. Теплый воздух был неподвижен, но окрест было словно разлито томительное ожидание грядущего перелома к лучшему. Олег понял, что эту атмосферу не смог бы воссоздать ни один голливудский кудесник. Это и был дух самого Парка. Именно для того, чтобы поймать это присутствующее на каждой площадке и в каждом павильоне санатория ощущение, сюда и устремлялись десятки и сотни людей, которые могли бы там, за воротами, купить себе все — кроме подспудной уверенности в завтрашнем дне. К некоторым оно приходило на космодроме, некоторым для этого требовалась война или перевоплощение в тайного кумира детства. Олегу его подарила Алена, и сейчас его не волновало, кто она на самом деле. Он прошел с ней и целину, и выволочку на партсобрании, и даже эту потешную войну.

Олег медленно сказал:

— Алена, я свинья...

Он не знал, поняла ли девушка, чего ему стоило это признание. Она ответила просто и коротко:

— Я знаю.

— Я говорил с главврачом и...

Алена подхватила, не поворачивая, однако, к нему головы; ее профиль чуть заострился:

— Он предлагал вам взять меня в жены, а вы отказались...

Следующие слова потребовали от девушки видимого физического усилия:

— Я вам не нравлюсь?

Олег остановился и посмотрел на Алену. За годы телевизионной карьеры он слышал эти слова из сотен женских уст. Но еще никогда они не звучали так наивно-искренне. Он уже забыл, когда женщины обращались к нему, не преследуя каких-то своих тайных выгод и целей. Он не знал, что ответить и просто взял девушку за руку. Ее тонкие пальцы обвили его ладонь — сначала робко, а потом — уверенно и надежно.

«Внимание! Прослушайте сводку Паркинформбюро. Сегодня, в ходе второго дня игры "Зарница", в бою за высоту № 134 войска зеленых потеснили оборону синих», — громыхало парковое радио. Было похоже, что устроители этой странной войны решили распространить ее на всю территорию. Недалеко от затянутого маскировочной сеткой павильона «Вина СССР» расположилось выложенное из мешков с песком гнездо для зенитного расчета. Высоко в небе на огромной туше защитного аэростата скрещивались лучи прожекторов, взлетали и гасли разноцветные сигнальные ракеты. И даже скульптуры были затянуты рогожей и перехвачены крест-накрест веревками.

Алена сидела на лошади, Олег вел коня под уздцы. Навстречу Олегу и Алене шел с суровым лицом офицер с повязкой военного патруля и два красноармейца.

— Стой! Пароль!

Олег растерялся и выпалил первое, что пришло на ум:

— Олег Зимин!

Удивительно, но патрульный расплылся в улыбке и вскинул руку к околышу фуражки.

— Проходите!

Недалеко от спального корпуса, по всей вероятности, тоже пролегала неизвестно кем установленная линия обороны от незримого противника. На боевые позиции выдвигалось отделение солдат в полном обмундировании — со шпагинскими автоматами, парой пулеметов и даже положенным по штату противотанковым ружьем. Олег и Алена остановились у лестницы. Два медработника в противогазах пронесли носилки с раненым бойцом, звавшим в темноте маму. Из темноты кто-то негромко окликнул Алену:

— Сестричка, помоги!

Она кивнула. Олег понял, что надо прощаться. Но в корпус он поднялся, только убедившись, что тонкий силуэт медсестры растаял в сумерках.

Над бильярдным столом вспыхнул конус яркого света. На стене висела монументальная картина «Вождь народов играет в бильярд с Будённым и Ворошиловым». Полотно изображало радостно улыбающегося вождя в легком летнем френче и мягких сапогах, намеливавшего кий. Правда, позы Семена Михайловича и Климента Ефремовича были менее расслабленными. Они опасливо смотрели куда-то вверх.

Товарищ Роберт кивнул на картину и прервал тишину:

— Ну что, сгоняем?

Главврач ответил ему очень резко, отчего физрук едва не выронил пирамиду с шарами:

— Наигрались уже! А ты, по-моему, совсем заигрался! Неужели не понимаешь, что пациент вот-вот взорвется, а ошметки полетят на нас!

Роберт справился с волнением и спокойно донес шары до стола. Аккуратно разложив их в установленном месте и повернув цифрами вверх, он обратился к главврачу. Лицо его стало жестким и холодным. И речь звучала, как тихие хлопки плетью:

— Слушай сюда, Айболит!

Главврач придвинулся ближе, словно желая задавить наглеца. Но Роберт спокойно продолжил:

— Я не для того здесь семь лет пахал, чтобы какой-то журналюга засрал всю поляну за один день. И не таким бычкам рога обламывали. Надо будет — и этому обломаем.

Таким Роберта главврач еще никогда не видел. От растерянности он сник и даже как-то опал, словно сдутый шарик. Стороннему наблюдателю даже могло показаться, что он начал заговариваться или вести беседу сам с собой:

— Под вашу ответственность, имейте в виду, под вашу ответственность...

Роберт белозубо рассмеялся:

— Не бойсь, тут теперь все под мою ответственность.

Сказав это, он посерьезнел и добавил:

— Наше поколение в отличие от вас от ответственности не бегает. Вы страну просрали и проболтали — а нам ее собирать.

Он резким ударом разбил пирамиду на бильярдном столе.

А Олег тем временем крался на цыпочках по коридору к своему номеру. В конце коридора в круге света под лампой спала, уперев лицо в руки, дежурная по этажу. Олегу казалось, что он движется бесшумно, и все же она открыла один глаз. Одернув гимнастерку, он шепотом сказал:

— Спите, спите, все в порядке.

Дежурная довольно громко ответила:

— А я и не сплю. Отдыхайте, Олег Николаевич!

Обозначив таким образом свою всевидящую суть, женщина вновь закрыла глаз и громко захрапела.

Под этот аккомпанемент Олег наконец добрался до своего номера. Закрывая за собой дверь, он почему-то оставил ключ в замке, хотя это было строго запрещено правилами Парка. Зимин подошел к торшеру и включил свет. Почему-то вспомнилась цитата из Бернарда Шоу: «Хотя бы раз в жизни в гости к каждому из нас приходит судьба. Но чаще всего, пока она звонит в дверь, мы в это время пьем с друзьями пиво в близлежащем кабачке». И тут Олег услышал под окном цоканье копыт. Еще не видя в темноте всадника, он уже знал, что это Алена. Он распахнул балконную дверь. Увидев его за металлическим ограждением, девушка встала на седло и потянулась к нему. У Олега не было ни тени сомнения, что он вытянет ее наверх. Плавный акробатический рывок занял у влюбленных пару секунд. Они оба двигались уверенно, словно люди, уже принявшие для себя самые важные решения и не желающие тратить время на сомнения.

Уже в комнате Олег вдруг ощутил, что плечи Алены мелко подрагивают.

— Ты вся дрожишь.

В голосе у девушки дрожи не было:

— Не обращай внимания.

Она стояла перед Олегом, по-детски зажмурив глаза в ожидании поцелуя. Олег нежно коснулся ее губ, но потом отстранился.

— Ален, посмотри на меня.

Она одними губами прошептала:

— Не могу.

— Почему?

Олегу показалось, что девушка сейчас заплачет. Но она справилась с собой и произнесла так же тихо:

— Не знаю.

Все так же, не раскрывая глаз, Алена начала расстегивать гимнастерку. И тут за дверью что-то грохнуло. Потом еще раз. Дверь содрогнулась от мощного удара ногой, но цельный массив дуба не так-то просто было своротить с петель.

Олег прислушался. Среди общего гвалта выделялся истерический крик Роберта. Он вопил, как маленький ребенок, у которого отобрали любимую игрушку в день рождения.

— Заперлись, конечно! Заперлись!

Послышалась пара громких криков, глухой удар в коридоре, потом кто-то со всего размаху рухнул на дверное полотнище. Но дверь перенесла эту атаку еще легче, чем предыдущий удар. После секундной паузы успокоившийся Роберт начал новую психологическую атаку:

— Немедленно откройте, администрация! Товарищ Зимин, откройте дверь. У вас нарушена светомаскировка.

Олег и Алена переглянулись, и единым движением руки выключили лампу торшера.

— А, черт! — выругался за дверью Роберт и, обратившись за дверью к невидимому помощнику, заорал: — Слесаря давай! Ломайте замок!!!

Чьи-то частые шаги унеслись этажом ниже, и спустя всего несколько секунд невидимый слесарь начал довольно осмысленными движениями вышибать личинку замка.

Олег прошептал Алене:

— Тебе надо бежать!

Алена прижалась к нему и упрямо пробормотала сквозь зубы:

— Я их не боюсь!

Олег легонько встряхнул ее за плечи.

— Пожалуйста! Не доставляй им радости унизить тебя еще раз!

Алена растерянно глянула на него снизу вверх. Олег усмехнулся и ответил на ее невысказанный вопрос:

— Я уеду в Москву и привезу сюда новостников со всех каналов телевидения. И кое-кому подробно объясню, что творится в парке всеобщего счастья.

Это был именно тот подробный и спокойный ответ, которого испуганная, но отважная девушка ждала от своего любимого мужчины. Алена улыбнулась:

— Я люблю тебя!

Олег тихонько ответил:

— Я тоже. Не бойся. Я с тобой.

Алена выскользнула на балкон.

Упрямый запор наконец сдался натиску превосходящих сил противника. Роберт, трое дружинников и дежурная ворвались в просторный темный номер в заученной боевой диспозиции. Роберт застыл у двери и включил свет, бойцы с повязками практически сразу разбежались веером в стороны и начали шустро шерстить пространство под кроватями и столом. Дежурная заглядывала в шкафы. Ничего там не обнаружив, она на всякий случай проверила и холодильник. Роберт немного растерянно наблюдал за тем, как затухает безуспешный обыск. Когда топот импровизированной сыскной бригады утих, стало слышно, что в ванной комнате шумит вода. Сопровождающие Роберта сделали радостные лица, предвкушая большую потеху, но предводитель указал им на дверь. Им нехотя пришлось подчиниться. Дождавшись, пока дружинники и дежурная выйдут в проем истерзанной двери, Роберт на цыпочках прокрался к двери ванной и рывком распахнул ее.

В шикарной чугунной купели, по пояс в воде сидел совершенно голый Олег Зимин и блаженствовал с закрытыми глазами. В воздухе пахло какими-то ароматическими отдушками. Товарищ Роберт возмутился:

— Вы что, не слышите? В дверь стучат.

Олег открыл глаза и смерил незваного гостя взглядом. Потом он закрутил краны на смесителе и встал перед Робертом, совершенно не стесняясь своей наготы. Особенно обидно было то, что в сравнении с телеведущим физруку было, в общем-то, нечем похвастать. А Олег тем временем поставил в ситуации некую точку и небрежно бросил:

— Извините, душ шумит. А в чем, собственно говоря, дело?

Отступив на шаг в темноту, Роберт затянулся папиросой и ответил:

— Извините, пожарная сигнализация сработала.

Олег пожал плечами и начал обматывать чресла полотенцем. Глядя на себя в зеркало, он кинул быстрый взгляд на огонек папиросы и как бы вскользь участливо заметил:

— Вообще-то у нас не курят. А то какая-нибудь сигнализация опять сработает.

Эдуард Акопов, Юлий Гусман, Алексей Козуляев

Физрук одернул тужурку-френч и молча зашагал к выходу. А Олег уже совершенно неприличным голосом прокричал ему вслед:

— И дверь, кстати, не забудьте починить!..

Олега Зимина не покидало чувство брезгливости. Он уже давно успел привыкнуть к щепетильности в отношении чужой частной жизни, которую дало новое время, и сейчас ощущал себя чем-то вроде жертвы изнасилования. Многие вещи в комнате были перевернуты в ходе обыска вверх ногами, а посреди ковра чернел след грязного ботинка. Здесь не хотелось оставаться ни на минуту. Бегство? Нет, скорее выполнение обещания приехать сюда с тележурналистами, данного всего полчаса Алене. Вещи Олега не волновали. Он был готов уйти из «Парка советского периода» в чем был.

Вокруг дежурки у дальнего въезда в санаторий не было ни души. Олег огляделся и постучал в окно. После небольшой паузы на крыльце появился Петрович.

Олег спокойным голосом попросил его:

— Откройте, пожалуйста, ворота.

Петрович принюхался, а потом радостно улыбнулся:

— Не положено ночью, Олег Николаевич.

Олег чуть более раздраженно, чем следовало бы, продолжил:

— Я выйти хочу. Уйти отсюда. Понимаете? Мне срочно надо в Москву.

Поняв, что Зимин абсолютно трезв и действительно желает покинуть Парк, Петрович оглядел его с головы до ног, попытался заглянуть за спину, а потом мрачно спросил:

— Карта отдыхающего при вас?

Олег обхлопал карманы. Как назло, кусочек твердого картона завалился в самое неудобное место нагрудного кармана. Понимая, насколько убого сейчас будут выглядеть его рывки и извивы, Олег тем не менее сумел вытащить документ и протянул его Петровичу. Тот задумчиво раскрыл ее, сделал вид, что читает, но потом заметил, что держит лист вверх ногами, и протянул кусок картона обратно Олегу.

— Бегунок не заполнен, Олег Николаевич?

— Какой бегунок?

Петрович пожал плечами:

— Олег Николаевич, ну что вы как маленький, ей-богу. Одежду вам давали? Давали. Вот вы в ней стоите. Значит, надо сдать и в бегунке отметку сделать. Книги в библиотеке брали не брали — тоже отметку. Электрик, сантехник, сестра-хозяйка, что полотенца там, стаканы, спички, все в наличии...

Пытаясь справиться с нарастающим раздражением, Олег подумал, что Парк — это великолепное отражение всей «придуманной» истории страны в XX веке. В 17-м году некто придумал для страны коммунистическую сказку, а в 91-м — капиталистическую. Но для миллионов Петровичей вся эта словесная мишура изменила только правила приспособления своей шкурной сущности к новому времени. Они произносили слово «инвесторы» с той же интонацией, с какой их далекие предки объявляли о приезде ордынских баскаков и петровских фискалов. А слово «бегунок» в их устах было так похоже на «барскую вольную»... Но весь этот двуликий бред Олега никак не устраивал.

— Вы издеваетесь? Что за полотенца? Какие спички? Откройте сейчас же!

С Петровича тут же слетело все напускное миролюбие.

— Это ты издеваешься. А ну вали отсюда! Не открою, понял?

Олег машинально отметил, что так старый вохровец звучал, конечно, куда органичнее. «Ты» вместо «вы» было вбито в него на подсознательном, почти генетическом уровне. За этим фамильярным местоимением проглядывали тени его дедов и прадедов, гонявших в пьяном угаре по двору всех своих чад и домочадцев. Что ж, силу надлежало ломать равной силой. Олег отодвинул Петровича и направился к воротам. Охранник еще некоторое время стоял и смотрел ему вслед, словно не веря, что у столичного наглеца хватит куража покуситься на замок ворот. Но когда Олег приступил к поруганию этой железной святыни, Петрович рысью подбежал к нему и резким движением повернул к себе лицом, а точнее, животом. Разница в росте противников была впечатляющей. Двухметровый Олег был на две головы выше охранника и отмахнулся от него, как от мухи:

— Дед, мне ж неудобно с тобой драться...

Петрович тем временем вгонял себя в классический кабацкий раж и будто увеличивался в размерах.

— Да ты сосунок против меня!

Не дав Олегу ответить на оскорбление, он схватил его за кисть правой руки.

— Не трепыхайся, тварь поганая!

Зимин попытался вывернуться, но охранник повис на нем с бульдожьей хваткой. Чтобы отцепить его, нужно было бить по голове. Олег на секунду засомневался, не убьет ли он этим старика. Промедление стоило ему дорого. Петрович успел заломать его руку назад до самого болезненного предела, исключавшего сопротивление. Олег выдохнул:

— Петрович, вы что?

Сзади раздался торжествующий возглас вохровца:

— Заткнись, козел пархатый!

Старая школа дала себя знать. Молодые «цепные псы», которых Олег в избытке повидал за воротами Парка, с куда большей охотой гоняли «черножопых». А Петрович продолжал яриться:

— Не с таким говном справлялся! Героев Союза, бля, ломали!

Выудив из кармана свисток, Петрович начал остервенело дуть в него. Сразу несколько ответных трелей донеслось из самых отдаленных мест Парка. Перед тем как принять решение, Олег прислушался. Далекие свистуны быстро бежали в сторону ворот. Резким движением Олег освободился от захвата, оставив в руках у Петровича половину холщовой рубахи, и рванулся в спасительную темноту у забора. Какие-то шипастые кусты до крови рвали его руки и цепляли за одежду, но Зимин медведем ломился вперед. Наконец полоса отчуждения кончилась. Перед Олегом высился ярко освещенный прожекторами мощный кирпичный забор. Поверху на нем были натянуты колючая проволока и «лента Лавалье» — бритвенно-острая полоса стали с растопыренными во все стороны лепестками. Довершал безысходную картину полосатый столб с гербом СССР и эмблемой Парка. И все-таки, если бы было время, Олег мог бы попробовать прорваться. Но, увы, граница была не безлюдной. В свете прожекторов вдруг появился патруль из двух охранников в камуфляже и мощной овчарки. Животное начало яростно рваться с поводка и лаять на темные заросли, где затаился Олег.

Один из «погранцов» заинтересованно спросил:

— Слышь, Карацупа, а че твой Ингус мордой внутрь лает? Может, кто бежать отсюда намылился?

Второй патрульный хохотнул:

— Кто ж такой дурной найдется из рая бежать? А?

А Олег рвался назад сквозь те же кусты — словно куда-то опаздывал. Время и в самом деле работало против него. Те, кто руководил Парком, упреждали его действия здесь, на своей территории. Но их покровители за воротами тоже обладали немалой властью. Могло случиться и так, что, вырвавшись отсюда, Олег столкнется с бесчисленными закрытыми дверями и вежливыми отказами в тех телевизионных коридорах, куда он прежде входил без стука.

Бесконечные шипастые заросли все-таки отпустили его на волю. Беглец огляделся. У главного корпуса тихо играла музыка и мерцали сотни огоньков свечей. Похоже, там затевалось очередное шоу для отдыхающих. Что ж, этого и следовало ожидать. Парк демонстрировал свое полное безразличие к копошениям и страданиям отдельного курортника. Особенно в момент, когда туда прибыли стратегические японские инвесторы.

Группу сопровождал сам главный врач. Азиаты переглядывались, иногда щелкали крошечными фотоаппаратами-мыльницами и мобильными телефонами. Но общая атмосфера расслабленности и умиротворения действовала и на них. Один из японцев, неуловимо похожий на самурая из гонконгского фильма категории «Б», блаженно улыбался и что-то рисовал в своем блокноте. Товарищ Саахов, сидевший во главе стола, иногда заглядывал через плечо художнику и показывал всем присутствующим в знак одобрения большой палец. Наконец музыка стихла. Кавказец поднял стакан, до краев наполненный вином, и провозгласил тост:

— Много лет назад, когда я снимался в главной роли в фильме «Кавказская пленница», мою горячую кавказскую любовь отвергла недальновидная русская девушка-спортсменка, комсомолка и просто красавица. И никто тогда не думал, что ее неразумный националистический поступок со временем приведет к распаду СССР. Так выпьем же за то, чтобы все женщины нас любили, а все народы — дружили.

Японцы снова переглянулись. Самурай, не отрываясь от рисунка, еле заметно кивнул, и они выпили. Появившийся на сцене товарищ Роберт дождался, пока инвесторы и отдыхающие поставят стаканы на столы, и объявил:

— Дорогие друзья, уважаемые товарищи, мы продолжаем наш вечер Дружбы народов СССР. Поет замечательный азербайджанский певец и композитор Полад Бюль-Бюль-оглы!

От грохота аплодисментов вокруг вздрогнул даже невозмутимый руководитель группы японцев. Он что-то гортанно выкрикнул и указал своей свите на сцену. Один из инвесторов достал миниатюрный цифровой магнитофончик и водрузил на длинную серебристую удочку закутанный в ветрозащиту микрофон. Увидев столь при-

стальное внимание к своей персоне, Полад улыбнулся в сторону стола инвесторов и помахал им
рукой. Зазвучали первые аккорды и над эстра-
дой разнеслось:

— Ты мне сказала, что позвонишь сегодня...

Японцам явно нравился этот азербайджанский твист. Самурай отложил в сторону блокнот,
не забыв, правда, перевернуть его рисунками
вниз, и начал притоптывать ногой. Один из гостей, с виду самый молодой, смотрел на него умо-
ляющим взглядом и наконец удостоился кивка
босса. После этого он пулей вылетел на танцпол
и присоединился к общему веселью. Азиаты за-
улыбались. Главврач показал японскому боссу
большой палец. Тот ответил тем же.

И тут музыка стихла с противным мяукаю-
щим звуком. На сцене появился Олег Зимин —
в изодранной рубахе, с окровавленными лицом
и руками. Он рванулся к микрофону. Певец с не-
свойственной его облику прытью кинулся прочь.
Охрана уже запрыгивала на подиум, но Олег все
же успел прокричать главному врачу:

— Сейчас же! Выпустите меня отсюда! Иначе! Завтра! Все каналы телевидения! Я вам такую рекламу в генеральной прокуратуре устрою!

Японцы вопросительно уставились на главврача. Тот успокаивающе поднял руки:

— Наш диссидент. Лавры академика Сахаро-
ва не дают покоя этому отдыхающему. Требует
к себе особого отношения... Идем навстречу. Желание отдыхающих для нас закон.

Самурай улыбнулся и что-то гортанно сказал. Переводчик смутился, но свита главного инвестора угодливо рассмеялась. Главврач растерянно завертел головой. И вот тут, как нельзя кстати, из-за соседнего стола встал, гремя геройскими звездами и орденами на кителе, двойник лично Генерального секретаря ЦК КПСС Леонида Ильича Брежнева. Челюсть ему, по всей видимости, ставили в другой поликлинике, поскольку он почти не чавкал. Генсек улыбнулся японским инвесторам в лучших традициях разрядки международной напряженности и посоветовал главврачу:

— Думаю, послать надо академика в город Горький!

Пока дружинники крутили Олега прямо посреди сцены, матерясь сквозь зубы, Роберт восторженно кричал:

— Поддерживаю предложение дорогого Леонида Ильича! В Нижний его! В Нижний!

Его с энтузиазмом поддержала хорошо знакомая нам профсоюзная активистка:

— Решение партии и администрации Парка одобряем и поддерживаем полностью!

Олега уволокли за кулисы, а Роберт проявил чудеса профессионализма, объявив:

— И снова — песня!

Полад сбросил с лица недоуменное выражение и подхватил как ни в чем не бывало:

— Ты мне сказала, что позвонишь сегодня...

«Самурай» рывком встал и присоединился на танцполе к своему молодому коллеге. Группа инвесторов распалась на две — некоторые последовали за боссом, а трое, распустив галстуки, подлили себе еще вина и разом осушили стаканы.

Но товарищ Роберт этого уже не видел. Дружинники вытащили Олега на плоскую крышу столовой. Там было достаточно тихо и спокойно. Тишину нарушало только мычание Олега сквозь забитый кляпом рот. Хаотичные всполохи фейерверков высвечивали в разных углах крыши исполинские каменные статуи рабочих и колхозников. Роберт, в мягком френче и модных галифе, заправленных в сапоги, стоял напротив Олега и ждал. Наконец дружинникам удалось выпрямить Зимина и заставить его смотреть на физрука. Тот поймал взгляд беглеца и произнес:

— Тихо-тихо-тихо-тихо! Все-все-все! Посмотри, как красиво. Мы семь лет уродовались, людей учили и все здесь обустроили. А ты за два дня хочешь все обосрать.

Олег яростно замычал и почти выплюнул кляп. Один из дружинников торопливо поправил затычку. Роберт усмехнулся:

— Ну да ладно. История зашла слишком далеко. Предлагаю консенсус. Ты немедленно отбываешь в свою сраную Москву на свое сраное телевидение. Но с условием — не возникать! Нигде и никогда. По рукам?

После паузы физрук добавил:

— И, кстати, не забудь — Волкова остается здесь...

Олег затих и повис на руках у дружинников. Роберт подошел к нему и брезгливо осмотрел раскисшего соперника. Удовлетворившись зрелищем, он решил двумя пальцами вынуть кляп изо рта Олега.

Олег облизнул пересохшие губы и поднял голову. В его взгляде смирения не было.

— Я думал ты мелкий змееныш, а ты полноценный гад! Слушай внимательно и запоминай! Волкову ты сейчас приведешь сюда. Мы уедем вместе. Как ни смешно тебе это покажется, мы свободные люди в свободной стране!

Слушая Олега, Роберт все больше убеждался, что ошибся в оценке журналюги. А Зимин продолжал:

— Ты принесешь извинения устно, письменно и печатно, но все равно я тебе обещаю, что с завтрашнего дня ты будешь чистить сортиры. Таким, как ты, даже на секунду нельзя давать власть.

Роберт резким движением вбил кляп обратно, едва не сломав Олегу зубы.

— Тихо-тихо! Все-все-все! Тоже мне Олег Кошевой! Будем считать, что консенсус не состоялся! Что ж, как говорили классики, мы пойдем другим путем! Тащите его вниз!

Процессия направилась в тот самый физиотерапевтический кабинет, где Олег впервые познакомился с Аленой. Роберт кивнул на стену душа Шарко и скомандовал дружинникам:

— Зафиксируйте его и ждите за дверью.

Когда Олега распинали на белом кафеле, чтобы прихватить запястья к трубам, он попытался вырваться, но получил мощный удар по почкам и на несколько мгновений потерял сознание от болевого шока. Когда он очнулся, кляп во рту приобрел противный железистый вкус, а фигура Роберта у пульта начала расплываться и двоиться. Но голос физрука Зимин слышал отчетливо. В кабинете была прекрасная акустика.

— Ты так любишь душ Шарко, было бы несправедливо лишать тебя этого удовольствия.

Негромко щелкнул верньер на пульте управления душем. Мощная струя воды с шумом ударила в пол, и шланг выпрямился, как диковинная змея с металлической головой. Но голос Роберта все так же уверенно перекрывал шум воды:

— Раньше на всех на вас хоть управа была! А теперь распустились, власть свою телевизионную почувствовали, на народ свысока стали поглядывать... Запомни, поц, вы — не хозяева. Вы — только слуги!

Регулятор на пульте щелкнул еще два раза. Сопло шланга начало подрагивать от мощи струи. Товарищ Роберт улыбнулся:

— Три атмосферы... Для настоящего ценителя — пустяк!

После этих слов он вдруг резко направил поток в живот Олегу. Того отшвырнуло назад. Свободной рукой Роберт повернул верньер еще на два деления.

— Пять атмосфер... Я тебя немножко поучу.

Раздался еще один щелчок.

— Порядку...

Удивительно, но сознание Олега не желало отключаться от боли, которая все усиливалась с каждым словом Роберта, сопровождавшимся переходом на одну атмосферу вверх.

— Который был... Которого нет... Но который обязательно будет!

От удара струи мощностью в девять атмосфер Олега начали бить конвульсии. Роберт перестал повышать давление, но продолжал кричать сквозь шум:

— Ничего, народ научит... Народ ваши ошибки исправит... Народ — он ведь всегда прав...

В голосе физрука послышались гортанные нотки. Он словно заводился от собственных речей, и при этом не переставал поливать мечущегося Олега из шланга. Только теперь он перехватил орудие пытки двумя руками и даже делал вид, что прицеливается.

— Вы думаете — вы власть? А власть-то не у вас на самом деле! А у нас, бля!!! У нас!!!

Струя на некоторое время остановилась на животе Олега. Боль была нестерпимой, и Зимин начал безвольно обвисать на растяжках. А физрук радостно хохотал:

— Некоторое время у тебя будут проблемы с печенью. Поэтому из меню надо исключить острое, жирное и соленое. И бросить пить.

Внезапно Роберт отвернул шланг от Олега и сломал ограничитель на пульте. Пенящаяся струя ударила в кафель. Во все стороны полетели керамические осколки.

— Вот, видишь. Я сломал на пульте ограничитель давления. Если я умою тебя этим душем, то у тебя из кишок получится каша, а из печени — желе...

Олег потерял сознание в тот самый момент, когда давление начало прорывать фланец у самого сопла шланга. Он уже не видел, как Роберт устало выключил воду и закурил. Не видел он и момента, когда в процедурную вошел Петрович с двумя дружинниками. Старый вертухай подобострастно обратился к товарищу Роберту:

— Вызывали?

Физрук кивнул на лежавшего на полу Олега. Того уже сняли с растяжек, но накрепко перехватили за спиной руки.

— Приведи его в чувство!

Петрович обрадованно крякнул:

— Это мы с удовольствием... Это мы мигом!

Он опустился перед Олегом на колени и бережно приподнял его с пола. Словно мастер, прилаживающий на место сложную деталь, Петрович прислонил тело к стене, придал голове определенное положение, потом хмыкнул и поменял угол наклона. После секундной паузы он вдруг хлестко ударил двумя ладонями по ушам Зимина. Олег вскинулся от боли в голове и непроизвольно открыл рот. Петрович посмотрел на дело рук своих и обратился к Роберту:

— Учись, товарищ Роберт, пока старые кадры живы. Будет работа ухо-горло-носу. Хотя мужик он, конечно, крепкий. Иные бедолаги кровавыми пузырями исходят...

Роберт махнул рукой:

— Приведи сюда Волкову.

Поняв замысел начальника, Петрович расправил усы и восхищенно произнес:

— С выдумкой работаешь. Уважаю.

Роберт поймал на себе ненавидящий взгляд Олега и потрепал его по щеке.

— Ой, не любишь ты меня. По глазам вижу. Да и я, честно говоря, вашего брата недолюбливаю...

Олег молча наблюдал, как его мучитель охлопывает себя по карманам и достает смятую пачку «Герцеговины Флор». Роберт продул гильзу папиросы и неспешно прикурил. Сделав еще пару затяжек, он откусил смятый под прикуску конец штакетины и протянул Олегу. Предварительно он вытащил у него изо рта кляп. Олег отвернул лицо и сплюнул на пол кровью. Роберт пожал плечами и вернул кусок грязной тряпки на место.

— Брезгуешь... А обобрать нас вы не побрезговали. Все отняли. И деньги, и страну, и детство счастливое наше.

Внезапно Роберт с пацанской удалью цыкнул струей слюны сквозь зубы в сторону Олега.

— Сами небось в пионерлагеря выезжали, возле костров дружбы в Артеке сидели, а нашим детям подсунули тряпку, чтобы стекла ваших иномарок протирать...

Похоже, эта тема действительно волновала Роберта. Олег замычал, чтобы ответить, но физрук-затейнику уже было все равно. Он словно говорил сам с собой, глубоко затягиваясь:

— Мой прадед героический красный латышский стрелок товарищ Петерс Ленина охранял. Только раз Ильич без него уехал. Так эта жидовка Каплан его чуть не убила... Наши предки знали, для чего жили! И твой отец знал!

Олег понял, что теперь Роберт сделает все, чтобы не выпустить его за ворота Парка. Теперь он, Олег Зимин, знал самую сокровенную военную тайну этого потешного Мальчиша-Кибальчиша. А Роберт тем временем поднял лицо Олега за подбородок и, глядя ему в глаза, страстно произнес:

— А мне, как скотине, только о жратве полагается думать? А? А я — не скотина! Мы — не рабы! Рабы — не мы? Понял?

У двери послышались шаги. Олег смог вывернуть глаза и увидел, что Петрович с каменным лицом привел в процедурную Алену. Она увидела лежавшего на полу окровавленного Олега и бросилась к нему, но вохровец цепким хватом придержал ее. Она забилась у него в объятиях и закричала:

— Что ж вы делаете! Ему же больно! Отпустите его!

Олег, не отрываясь, смотрел на девушку. Чтобы прорваться к нему, она попыталась укусить Петровича за руку, но старик был готов и к этому. Он подтащил Алену к Роберту. Тот некоторое время с жалостью смотрел на ее конвульсии, а потом назидательно сказал:

— Правильно кричишь, ему действительно, очень больно. А вот следов никаких, это ты и сама знаешь.

Алена выталкивала из себя слова, захлебываясь от рыданий:

— Не смейте! Он ни в чем не виноват! Это я, я... Я виновата! Во всем. Отпустите его. Умоляю...

Роберт и Петрович переглянулись. Олег не видел лица Петровича, но физрук явно увидел там нечто, лестное для себя. Он пригладил волосы, одернул френч и обратился к Алене:

— ...Жалко его?.. Помочь хочешь? Будешь умницей, отпустим.

Алена кинула взгляд на Олега, всхлипнула и закивала головой в знак согласия. Товарищ Роберт извлек откуда-то из-за спины тонкую папочку и поднес ее к лицу девушки. Из внутреннего кармана его френча появилась дорогая ручка с золоченым пером.

— Читай. И подписывай. Прямо здесь и прямо сейчас. И все. Он свободен.

Алена проглядела листок, и Олег увидел, что ей в лицо бросилась кровь.

— Это неправда.

— Подпиши, Волкова!

— Нет!

— Тогда смотри!

Роберт, не глядя в сторону Олега, схватил шланг душа и до предела вывернул рычаг. Струя с реактивным свистом ударила в стену метрах в двух от головы Олега. Кусочек разбитого кафеля больно ударил его по щеке и, кажется, даже поцарапал. Алена с ужасом наблюдала, как, повинуясь движениям рук Роберта, пропаханная давлением жидкости борозда в кафеле приближается к Зимину. Когда Олег уже не мог уворачиваться от кафельного камнепада и правая сторона его лица представляла из себя сплошное месиво из царапин, она не выдержала и закричала:

— Не надо! Вы убьете его! Я все подпишу!

Не выключая воду, Роберт подсунул ей ручку и папочку. Алена торопливо расписалась. Петрович через ее плечо следил, чтобы подпись была на нужном месте и, как только перо оторвалось от бумаги, выхватил листок. Роберт тут же перекрыл кран, и его слова гулко отозвались в наступившей тишине:

— Ну вот и умница, Волкова!

Алена чуть отступила и, понурив голову, собралась идти. Но тут произошло нечто, заставившее Олега до боли в корнях зубов прикусить тряпку кляпа. Товарищ Роберт развернул к себе лицо Алены и хлестким ударом с правой разбил ей бровь. Девушка попыталась вскрикнуть, но Роберт был неумолим. Движением профессионального фокусника он разорвал у нее на груди платье. Потрясенная Алена замерла, ожидая продолжения. Но его не последовало. Товарища Роберта сейчас мало волновали ее девичьи прелести. Он снял с вешалки белый халат, примерился и надорвал и его. Петрович не без удовольствия продолжил дело, начатое Робертом, и вскоре Алена уже была облачена в зияющий прорехами халат, а остатки ее платья валялись мокрыми тряпками на полу процедурной. Роберт подтолкнул девушку к выходу.

— Петрович, отведи ее к главврачу. Пусть зафискирует факт побоев. И вот это не забудь.

Петрович вложил листочек в папочку. Роберт повернулся к Олегу и прокомментировал:

— Для тупых сообщаю — здесь заявление Волковой о факте ее избиения и последующего зверского изнасилования отдыхающим Зиминым во время принятия плановой водной процедуры.

Когда Петрович с Аленой скрылись за дверью, правнук латышского стрелка подошел к Олегу и присел напротив него на корточки.

— Изнасилование, гражданин Зимин, — это восемь лет в колонии строгого режима. И петушить вас там будут по полной программе. Так что и на ваш поганый телевизионный роток накинем платок. Вы не трогаете нас, мы не трогаем вас.

Убедившись, что Олег осознал суть происходящего, Роберт начал освобождать Олега от пут. В какой-то момент он словно устыдился своей слабости и вызвал дружинников. Пока те возились с промокшим узлом на кистях Олега, Роберт уже более холодным голосом закончил:

— Заявление Волковой будет лежать в моем сейфе. Кстати, там уже лежат показания пяти свидетелей. Вы умный человек и должны уметь проигрывать.

Олег выпрямился, потирая затекшие руки. Товарищ Роберт уже стоял в дверях.

— Олег Николаевич, можете идти к себе в палату. Отдыхайте...

Олег сделал над собой чудовищное усилие, и, наконец, он отчеканил:

— Ты — мерзавец. И этой твоей бумажке — грош цена. И ты это знаешь не хуже меня.

Роберт уже из коридора вернулся в процедурную. На его лице играла глумливая усмешка.

— Иногда бумажки становятся просто бесценными... Например, с людьми случаются автокатастрофы или несчастные случаи на воде. И тогда, увы, остаются только бумажки...

Роберт пропустил момент, когда Олег сорвался с места и от всей души врезал ему под подбородок. От нокаутирующего удара физрук лязгнул зубами и улетел в дальний угол комнаты. Однако ущерб был куда меньше ожидаемого. Олег мельком прикинул, насколько у них отличались весовые категории. Да, получалось, что Роберт был в полусреднем весе. И поэтому удар супертяжа Олега просто отшвырнул его, но вреда не нанес. Надо было добивать. В один прыжок Зимин накрыл Роберта и начал топить его в огромной грязной луже воды. Но сил не хватало. Экзекуция душем Шарко была по-настоящему выматывающей. Роберт успевал уворачиваться и истошно орал. На крик в комнату влетели дюжие дружинники.

Спустя пару минут Олега вновь закрепили на растяжках у истерзанной кафельной стенки. Товарищ Роберт поднимался из лужи и пальцем проверял, все ли зубы на месте. Было похоже, что он явно нашел в своем рту работу для дантиста, и это вывело его из себя.

— Да вы просто больной, Олег Николаевич, тяжелый психический больной! У вас мания преследования и очевидная гипервозбудимость. Лечить вас надо...

Внезапно Роберт скривился от боли в челюсти и некоторое время молчал. Потом подошел к шкафу с медикаментами, скромно притаившемуся в углу, и принялся осматривать ампулы и склянки. Наконец, повернулся и просиял:

— Про сульфазин слышали? Его буйнопомешанным засаживают, чтобы шелковыми были. Это как раз ваш диагноз. У меня, по случаю, есть ампулка импортная. После первого же укольчика вы станете гораздо покладистее.

Роберт профессиональным жестом отхватил у ампулы кончик и принялся заправлять найденный там же, в шкафу, шприц на два кубика.

Олег попытался вспомнить, за счет чего сульфазин подавлял волю человека и наконец выцепил из памяти несколько фрагментов. Препарат вызывал жуткое жжение под всеми кожными покровами несчастных пациентов, которое снимал только укол антидота.

А Роберт тем временем наполнил и второй шприц.

— После второго укола ты просто превратишься в животное. Я не пугаю. Я предупреждаю. Запомни. Запомни! Всегда были люди, внушающие страх, и люди, живущие в страхе. Всегда были Мейерхольды в обоссаных от страха штанах, и мы, которые этот страх внушали.

Олег ощутил слабый запах спирта. Роберт протер место укола ваткой и улыбнулся, насколько позволяла быстро опухавшая челюсть.

— Когда я завтра покажу тебе вторую ампулку, ты передо мной на задних лапках бегать будешь. Прикажу — собственную мать отдерешь... А теперь, творческой тебе ночи, звезда телеэкрана...

Олег закрыл глаза и прислушался к собственному телу. Кажется, начиналось. Дай силы, Господи, чтоб не сойти с ума! Через минуту Олегу больше всего на свете хотелось выпрыгнуть из собственной шкуры и оставить ее догорать на кафельном полу процедурной. Он закричал — и потерял сознание. Обессиленный организм спас его от потери разума.

Когда сознание вернулось, Олег понял, что каким-то образом смог покинуть кафельный ад. Он лежал на чем-то вроде медицинской кушетки посреди странного парка заброшенных скульптур. Их было так много, что Олегу казалось, что он очутился на какой-то странной фабрике кладбищенских надгробий. Судя по цвету неба, наступало утро. Олег приподнялся и заметил, что неподалеку курится туманом крошечный прудик. Он пополз к нему, чтобы хоть как-то смочить пересохшие губы. Но отражение в неподвижном зеркале воды его напугало. На Олега смотрел старик с запавшими глазами и потрескавшимися губами. За спиной вдруг что-то шевельнулось. Олег поднял голову. Это был главврач.

— Где я? На кладбище? И что вам нужно? Пришли сделать мне второй укольчик? — спросил Зимин.

Голос главврача был на удивление дружелюбен:

— Нет, что вы... Здесь, в тиши, я надеюсь, вы быстро придете в себя.

Олег увидел, что Анатолий Александрович держит в руках стакан с чаем. Путь обратно к кушетке был невероятно труден. Тело болело в самых неожиданных местах, а в суставы словно насыпали песка. Главврач присел в ногах у Олега и начал насыпать в стакан сахар, шепотом отсчитывая ложечки.

— Пять, шесть, семь... Вам необходима глюкоза.

Олег с трудом проглотил приторно-сладкую жидкость. Главврач придерживал стакан у его губ и качал головой:

— Но каков негодяй этот товарищ Роберт! Боже мой, какой это страшный человек! Казалось бы — культмассовик-затейник, ваш коллега, а даже генеральный вынужден с ним считаться... Подставить под удар все наше дело! Мне безумно стыдно, что я сразу его не раскусил. Здесь, в тиши, я надеюсь, вы быстро придете в себя.

У Олега немного прояснилось в голове, и он начал оглядываться вокруг. Странно хмыкнув, главврач прокомментировал:

— Не сочтите за намек, но этот недостроенный аттракцион называется ГУЛАГ. У нас здесь пока склад скульптур. Так что похоже чем-то на Царское Село. Сегодня воскресенье, никого на стройке нет.

Олегу наконец удалось окончательно сфокусировать взгляд. Из предрассветного тумана все четче и четче вырисовывались графические силуэты охранных вышек, бараков и горбатых балок для колючей проволоки. От усилия Олег вспотел, и главврач промокнул его лоб душистым платком. Нахлынула страшная слабость, и слова собеседника Зимин слышал как сквозь вату.

— На мой взгляд, каждая подлость должна иметь предел. Я говорю об этом мерзопакостном заявлении об изнасиловании. Грубо шито белыми нитками. К этим гнусностям, поверьте, я не имел, не имею и не хочу иметь никакого отношения.

Олег улыбнулся. Пределы подлости... Какое старомодное понятие. В привычном для Олега телевизионном мире их тоже не было. Наоборот, там подлость и предательство культивировались как некие экстремальные виды спорта. Если не сожрешь ты — сожрут тебя. Роберт не смог правдоподобно добить поверженного противника, и теперь его предал его более совестливый или более трусливый соратник. С трудом разлепив губы, Олег произнес:

— Еще как имеете. Если даже вы не соучастник, то единственный свидетель. Неужели вы думаете, что, разделавшись с нами, он оставит в живых вас?

Лицо главврача дернулось. Олег похвалил себя за то, что попал в точку. Его спаситель помог ему допить чай, а потом неуверенно спросил:

— Что я могу для вас сделать? Хотите, я немедленно отправлю вас в Москву?

Олег отрицательно качнул головой. Главврач некоторое время не мог поверить своим глазам.

— То есть что? Вы хотите остаться?

Олег кивнул.

— Зачем?

В голосе главврача звучало искреннее недоумение. Олег приподнялся с кушетки, обхватил собеседника за шею и пригнул, чтобы шепнуть ему в ухо:

— Надо кое-кому кое-что объяснить... У нас есть работа!

Оставшееся до восхода солнца время Олег проспал. Когда он вновь открыл глаза, рядом никого не было. В ГУЛАГе, пусть даже и недостроенном, Зимину оставаться не хотелось. Тем более что тропка в глубь основной территории Парка теперь была хорошо видна.

Пройдя через небольшую рощицу, Олег очутился прямо на главной аллее. Физически он ощущал себя предельно разбитым, но к нему вернулось привычное с начала 90-х ощущение готовности к бою. Сахариновая сладость и безмятежность «Парка советского периода» ушла, и, похоже, навсегда. Что ж, как говорил вождь народов: «Цели ясны, задачи определены». Теперь кадры решали все.

Неожиданно Олег заметил, что в основании одной из гирлянд, которыми главная аллея была украшена в изобилии, что-то шевельнулось. Он присмотрелся. Оптику камеры наружного слежения скрыть достаточно трудно, но те, кто разглядывал его на своих экранах, сейчас даже не пытались это сделать. Более того, на Зимине явно фокусировался не один объектив. Он и раньше догадывался о тотальной видеослежке в парке. Но сейчас пришло время тщательно следить за маской полностью сломленного человека.

Из-за поворота вышел отряд пионеров, бодро чеканивших шаг под звуки горна. Увидев Олега, они отдали ему салют. Зимин вяло помахал рукой в ответ. Чуть поодаль ему встретился пышущий утренней свежестью Петрович в майке, заправленной в штаны-галифе. Вохровец возвращался с рыбалки и отдал Олегу шутливую честь. Олег обессиленно улыбнулся в ответ, и на лице бойкого старика появилась отеческая улыбка. Олег побрел дальше, а Петрович повернулся к одному из скрытых объективов и подмигнул.

У входа в корпус Олега с распростертыми объятиями встретила Клавдия Федоровна.

— Здравствуй, сынок! А погодка-то какая! Прямо как по заказу!

И никто, никто не замечал (вернее, делали вид, что не замечают) его запекшихся ран и истерзанного вида. Всем приходилось полагаться только на картинку, которую создавал сам Зимин. От Олега требовалось грамотно срежиссировать собственное выступление. Слава богу, в его состоянии он мог делать это практически на автопилоте.

Поднимаясь на подламывающихся ногах по лестнице, Олег почти физически ощущал, насколько жалостливую картинку сейчас видит его противник.

Вглядевшись в пустые глаза больного человека на мониторе информационного центра, Роберт удовлетворенно констатировал:

— Ну что ж, вполне благонадежный больной... Только слабый очень.

Тут на соседнем экране появилась картинка из холла. Вслед за Олегом поднимались Микола и Адмирал. Роберт брезгливо поджал губы:

— А вот и друзья его... Тоже мало чего соображают. Ничего, сейчас начнут соображать на троих...

Олег вошел в номер и, не раздеваясь, упал на кровать. В таком положении его и застали вошедшие друзья. Адмирал уже успел за завтраком неплохо поправиться и сейчас любовно разглядывал две бутылки псоу, которые Микола вытащил из карманов лётной курточки. А тот уже во всю обхаживал с трудом приподнявшегося на кровати Зимина.

— Примите поздравления! Уже дома не ночуем! Судя по лицу, начались первые семейные скандалы. Это за что она тебе так морду расцарапала?

Олег ухмыльнулся:

— Не надо грязи. Это я... с карусели упал.

Микола подмигнул с заговорщическим видом.

— Понял... Любите экстремальные виды... спорта?

Олег сделал жест рукой, чтобы обозначить прослушку в комнате, а вслух произнес:

— Ну да... А не пойти ли и нам с вами экстремально на лодочке покататься. Воздухом подышим, винца попьем, поболтаем...

Адмирал вдруг посерьезнел.

— Ты на какую акулу идешь? Помощь флота нужна?

Олег сделал паузу и произнес «пусковую» фразу всех правильных пацанов прошлого десятилетия:

— Мужики, есть одно важное дело...

Многое сейчас зависело от того, насколько его деятельным друзьям наскучило безбрежное благолепие Парка. Первым среагировал, как ни странно, не Микола, а Адмирал. Он весь подобрался и кивнул головой на выход. Но те, кто слушал разговор через микрофоны, услышали совсем другое. Заплетающимся языком морячок произнес:

— Оно и понятно. Флот и космос — единственная надежда российского человека.

Но, глядя в абсолютно трезвые глаза Адмирала, Олег Зимин намек понял.

Спустя пару минут Клавдия Федоровна с некоторым испугом наблюдала, как по лестнице спускается странная процессия. Микола и Адмирал буквально несли на плечах вдребадан пьяного популярного телеведущего, горланившего песни советских композиторов. Конечно, если бы администраторша обладала талантами Шерлока Холмса или патера Брауна, она бы задумалась, отчего Олег Зимин не только грамотно заменяет забытые строчки виртуозными матерными пассажами, но еще и успевает их рифмовать. Но сейчас ее больше волновало, чтобы друзья не посшибали цветы и статуи по бокам анфилады. Их в самом деле штормило нешуточно. Невидимый оператор камеры слежения, похоже, упорно пытался взять крупный план лиц веселой компании, и оттого объектив под потолком ощутимо рыскал из стороны в сторону.

Наконец тело Олега Зимина снесли вниз и поставили прямо перед стойкой. Он оперся на кулаки, пару раз подломился в локтях, отчего бедная женщина совсем потеряла голову и потянулась к ящику стола, но потом выдохнул:

— В-в-вино-водочный открыт?

Не, не зря Олег в номере так усердно полоскал рот и горло дорогущим абхазским вином. Сейчас от него исходили пары такой концентрации, что Клавдия Федоровна, как зачарованная, задвинула ящик стола обратно и улыбнулась:

— Ой, боюсь, что нет, касатик! У нас с одиннадцати!

Олег наклонил голову набок и грустно зажужжал:

— Ж-ж-ж-ж...

Видя, как ему трудно говорить, Клавдия Федоровна сочувственно подсказала тоном участницы плохой телевикторины:

— Жалко?

Видимо, она угадала. Начался следующий тур. Олег вытаращил глаза и выдал новый таинственный звук.

— Х-х-х-х...

Клавдию Федоровну посетили ужасные сомнения. Она замахала руками:

— Только не выражаться!

Олег сглотнул слюну и все-таки выпалил:

— Хде?

Сразу же вслед за этим он старательно скривил лицо и подпустил дрожи в тело, чтобы показать, как сильно он этим утром алкает «огненной воды» и продолжения банкета.

Клавдия Федоровна наставила страждущего на путь истинный, жестом библейской проповедницы возвестив путь в райские кущи:

— В колхозе у агронома. Он самогон гонит. Но я тебе ничего не говорила.

Олег просиял челом. Дальше началась уже чистая акробатика. Он повернулся к двери и одной рукой указал друзьям путь к светлому будущему. Вторая опора его тела с трудом держала сто десять килограмм массы на поверхности стола. Хорошо еще, что Клавдия Федоровна не видела, в каком странном перекресте были его ноги, а то она могла бы заподозрить вмешательство потусторонних сил. Ни физика, ни геометрия не предусматривали вертикального положения тела при таком расположении опорных точек.

Микола и Адмирал с гомоном потопали к выходу. Убедившись, что они на правильном пути, Олег повернулся к Клавдии Федоровне и начал третий тур игры в звуки:

— С-с-с...

Администраторша замахала на него руками:

— Да ладно тебе «спасибо» говорить... Потом отблагодаришь.

Но призовой игры не получилось. Под потолком холла пьяная ремарка Олега прозвучала особенно хлестко:

— С-с-сука...

Клавдия Федоровна моментально перешла в оборонительную стойку и даже сузила глаза, как пантера перед прыжком. Чтобы разрядить ситуацию, Олег икнул, сделал глотательное движение кадыком, будто загоняя назад завтрак и прижал руки к сердцу:

— С-с-сука буду — отблагодарю!

Его собеседница с видимым удовольствием приняла столь странную благодарность, склонила набок голову и благосклонно кивнула на прощание. Когда Олег и его сопровождающие наконец попали в дверной проем и скрылись из виду, Клавдия Федоровна наклонила голову к значку с эмблемой Парка, укрепленному на кружевном вороте платья и отрапортовала:

— Я — «мотылек», «мотылек»! Направляется в колхоз. Косой в дымину!

Путь троицы до пляжа был полон неверных шагов и нервных шевелений камер на встречных столбах. Но все-таки они доползли. Рухнув на песок, Микола выдохнул сквозь зубы:

— Был бы бухой — черта с два бы так устал! Клоунада, блин!

Адмирал вполголоса ответил:

— Держись, покоритель Вселенной! Еще не все! Ты посмотри — народ на месте?

— На месте, — ответил за Миколу Олег.

— Ну, тогда я пошел, а ты, дружок, сходи охолонись в море. Заодно у чапайского ординарца Петьки узнаешь, как рыбка ловится.

Адмирал поднялся и побрел на пирс, а Микола разоблачился до исподнего и, тряся головой, побежал к морю. Олег огляделся и начал открывать прихваченный по дороге в павильоне «Вина СССР» портвейн «Агдам». Сковырнув мутную пластиковую пробку, Зимин принюхался. Пах культовый напиток советских студентов так же, как и в далекой молодости. Для достоверности надлежало сделать хороший глоток прямо из бутылки. Олег приложился и прикинул, как он выглядит со стороны. Камеры явно транслировали Роберту картину полной моральной деградации заезжей столичной знаменитости.

— Чудненько! — пробормотал Олег про себя и стал наблюдать за Миколой. Тот стоял по пояс в воде у волнореза и разговаривал с Петькой. Оба периодически закидывали головы и изображали веселье, но Олег видел, как ординарец Чапая цепким взглядом сканирует берег, а Микола упорно держится спиной к берегу. Он явно не хотел, чтобы содержание их разговора можно было прочесть по губам. Наконец Петька показал Миколе куканчик с насаженными на него маленькими рыбками и пожал плечами. Микола от души захохотал, закинув голову, и едва не упал спиной в прибой. Олег понял — договорились.

Оставалось подождать Адмирала.

Вышедший на берег Микола сиял, как начищенный пятак.

— Хорошо-то как, Олежек! Наливай, что ли?

— А слабо из горла?

— Да легко!

Микола жадно присосался к бутылке. Вдруг его кадык застыл. У него был удивительно профессионально-чуткий слух. Катер, ведомый Адмиралом, еще только прогревал двигатели за опорами пирса, а Микола уже лег в обнимку с бутылкой на песок и сквозь полуприкрытые веки стал наблюдать за морем. Олег последовал его примеру.

Спустя минуту Адмирал уже был в открытом море. Поднимая красивый пенный бурун, мощный «Челенджер» несся вдоль пляжа. Недалеко от волнолома, катер начал забирать от берега. Петька извлек поплавки из воды и помахал Адмиралу рукой. Тот ответил на приветствие и врубил полную мощность.

— О дает! — восхищенно пробормотал Микола, глядя на быстро удаляющийся глиссер.

— Прет мужика! — подтвердил Олег.

Когда Адмирал развернулся на второй круг, Петька посмотрел на свой золотой «Вашерон Константин», а потом на столб на волнорезе. Там все это время тихонько ерзала и гудела камера наружного наблюдения. Ось объектива была неотрывно направлена на Олега и Миколу.

Петька еще раз огляделся и, отжав блокиратор катушки спиннинга, ловко закинул леску на столб. Блесна обмотала объектив.

Олег и Микола встали и, заглянув в бутылку, горестно покачали головами. Петька еле заметно кивнул им. Друзья сдвинулись на пару метров в сторону. Моторчик камеры взвыл, но его силы не хватило, чтобы порвать немецкую леску, и серебристая трубка застыла на месте.

— Хрен ты у меня проскочишь... — вспомнив старую шоферскую шутку, пробормотал Петька и сделал знак рукой алкоголикам-тунеядцам на берегу. Те неожиданно-пружинистым шагом направились к причалу для катеров.

А на пульте наружного наблюдения тем временем воцарилось небольшое замешательство. Дежурный бубнил в микрофон гарнитуры:

— Вышла из строя камера пирса... Нет панорамы. Наблюдение затруднено...

На монитор транслировалась картинка умиротворенного моря, по которой пару раз проскочил катер Адмирала. Что происходило на берегу — установить было невозможно. Товарищ Роберт ругнулся:

— Черт! А меня уверяли, что эти японские цацки безотказны... Быстро техгруппу!

Если бы техники успели доехать до берега, они бы наблюдали там странную картину. Олег сидел на высоком краю причала и с независимым видом поплёвывал в волны, Адмирал, сдерживая бешено пляшущий на боковом отбое от стены глиссер, держал курс в паре метров вдоль стены, а Микола, радостно подпрыгивая, бежал по причалу со сбруей для парапланирования. Но зрителей у этой оргии экстремалов практически не было. Поэтому Микола успел и одеть на мгновенно воспрявшего от философского изучения кругов на воде Олега парашютный комплект, и перебросить свободный конец леера Адмиралу. Щёлкнул замок карабина на катере и эхом отозвался щелчок на скрещении ремней на груди Олега. Голос Миколы потонул в реве мгновенно набравшего обороты двигателя.

— Ну, бывай здоров, братка! Парашют я направлю!

Олег не успел кивнуть, как сорвался с высокой стены вниз и вперед. Мелькнула мысль:

«Если Микола не вытравит купол — разобьюсь к чертовой матери! Руки, руки вверх, по стропам!!!»

Но бывалый урка и по совместительству — герой космоса, не подвел. Параплан поймал встречный поток воздуха и вывесил Олега на восходящую глиссаду за катером.

Увидев, какой кульбит выполнил Зимин, Петька одобрительно хмыкнул и со всего размаху рубанул по леске ножом. Камера начала хаотично дергаться вправо-влево и, наконец, зафиксировалась на отдыхающем, лежавшем, накрыв лицо шляпой в шезлонге недалеко от причала.

На главном пульте наблюдения пронесся вздох облегчения. Дежурный торжествующе забормотал:

— Все в порядке... Все в порядке... Есть панорама! Спецгруппе отбой! Отбой...

Роберт всмотрелся в картинку:

— Он? Или не он?

Сидевший рядом с ним инженер тоже нагнулся к экрану:

— Вроде он. Панамка его. И трусы тоже. Да и по комплекции подходит. Нажрался «Агдама» и дрыхнет. А дружбан его Микола яйца на параплане проветривает.

— Может, к нему спасателей подослать? Типа, чтобы солнечный удар не схватил? Заодно и проверят, — засомневался Роберт. — Ну-ка, дай мне пока панорамку причала. Быстренько так. И все остальные места прошуруди по парку.

Инженер щелкнул тумблером, чтобы выполнить команду. И зря. Петька словно слышал разговор и, увидев, как камера начала поворачиваться к морю, снова зацепил объектив леской. Дежурный изумленно пробормотал:

— Опять сдохла камера.

Инженер рядом с Робертом не сдержался от колкости:

— А я же говорил — купите на прибрежные камеры чехлы! Там же агрессивная среда!

Роберт скрипнул зубами:

— Не умничай! Вам только дай какую-нибудь цацку на казенные деньги купить, Пифагоры хреновы! Картинку давай!

На экранах замелькали корпуса, аллеи и павильоны Парка. Наезды сменялись предельными укрупнениями и панорамами. Когда две камеры начали давать картинку из «колхоза», даже ехидный инженер не сдержался, чтобы не посмотреть на происходящее. Послышались смешки и сальные шуточки, но нараставшую волну всеобщего веселья прервал злой голос Роберта:

— Хватит порнуху смотреть! Ищем, бля! Ищем!

Тот, кого они искали, сейчас парил в небе над Парком. Он только что отсоединил линь, связывавший его с катером, и теперь выбирал место для посадки на крыше компьютерного центра. Адмирал уводил глиссер от места расстыковки на невысоких оборотах. Его миссия была выполнена. Теперь можно было покататься и для чистого удовольствия. Петька тоже увидел, что суденышко возвращается из-за мыса порожняком. Конечно, леску было жалко, но молодой финансовый директор крупнейшего в стране металлургического комбината, и по совместительству — ординарец Чапая — Василия Ивановича Попова, подавил это реликтовое, пришедшее из детства чувство, и перерезал нить у самого удилища. На сегодня с рыбкой можно было заканчивать.

Роберт услышал, что дежурный растерялся окончательно.

— Едрена мать! Опять есть панорама!

— Так не трынди! Катер! Катер ищи!

— А чего его искать? Вон он, идет тихоходом сразу за буйками.

— А параплан?

— Не видать там никакого параплана.

— Так где же он, ешь вашу медь?

— Давайте радаром поищем, товарищ Роберт... — робко пискнуло из дальнего угла какое-то молодое дарование.

Роберт сорвался на языкастого инженера:

— Вот! Вот как надо работать! А не бухтеть мне тут о чехлах и прочей хрени! На мозги себе лучше чехол купи, чтобы не прокисли!

Инженер молча щелкнул тумблером активации радарной решетки. Но на экране ничего не было. Да и не могло быть. Олег Зимин пару секунд назад приземлился на крыше «Центральной» и шел сейчас к чердачному люку.

12

Уже давно главврачу не было так спокойно. Утренний разговор с истерзанным, но уверенным в себе Олегом словно примирил его с окружающей реальностью. И, кроме того, он всегда помнил знаменитую притчу Мао об обезьяне, наблюдающей за битвой двух тигров в долине. Кто бы ни победил, схватка нарушила шаткое равновесие за кулисами Парка, и Анатолий Александрович совсем не собирался упускать предоставившегося шанса. У уникального курорта были хозяева, и уж им он собирался преподнести ситуацию в лучшем виде. Поэтому сейчас главврач на отреставрированном и оттюнингованном ЗИСе уверенно подруливал к КПП Центрального компьютерного центра. Увидев цековскую машину, охранник выскочил из будки и отдал честь. Главврач высунул в окно заламинированный бэдж. Дежурный замахал руками, но второй человек в Парке отечески заметил:

— Порядок есть порядок. И он для всех одинаков.

Но, зайдя в стеклянные двери Центра, Александр Андреевич направился вовсе не в главный зал. Его путь лежал на самый верхний этаж, а там — к одной из дальних пожарных лестниц. Приветливый охранник очень удивился бы, увидев, как его начальник карабкается еще выше — на чердак. А вот Олега Зимина лицо главврача, показавшееся в люке, совсем не удивило.

— Ну что? — спросил он.

— Минуты две переждите, потом прыгайте.

Олег в точности выполнил указание и даже удивился, с какой прытью тяжеловесный доктор припустил вдоль по коридору. Их дальнейший путь чем-то напомнил Олегу компьютерную игру «Doom» — столько в нем было неожиданных поворотов и развилок. Разница была только в том, что до сих пор навстречу не вывалилось ни одного монстра с кольтом, бластером или даже завалящей дубинкой. Наоборот, кое-где Олег и главврач проходили мимо огромных застекленных пространств, где во всю кипела работа по поддержанию повседневной жизни Парка. Олегу удалось выхватить взглядом лишь малую часть незримых для отдыхающих дел. Он увидел, как усталые женщины переливают кефир из современных тетра-паковских пакетов в дореформенные бутылки и как группа сосредоточенных молодых людей у огромного перегонного котла наполняет темной жидкостью бутылки от портвейна «Три семерки». В одном из помещений на суперсовременной графической станции с широченным плоттером печатали тираж «Правды отдыхающего». Наконец главврач остановился.

— Подождите, Олег Николаевич. Надо дух перевести. Дальше несколько дверей с голосовой идентификацией. Буду пыхтеть — можем застрять.

— Откуда вы так хорошо ориентируетесь в этом здании?

— А я здесь с самого первого дня стройки. Это же была моя идея. А потом примазался этот... латышский стрелок... Инвестора привел, когда мы тут полгода без копейки просидели. Пойдемте дальше, Олег Николаевич. Не время сейчас интервью давать.

В дальнем конце коридора часто помигивал светодиодным глазком электронный замок двери. Анатолий Александрович выудил из кармана целую стопку разноцветных магнитных карточек и провел одной из них по вертикальной прорези щелевого замка. Дверь бесшумно отъехала. За ней зияла темнота. Олег глянул на главврача, но тот сделал успокаивающий жест рукой. И в самом деле — по мере того, как дверь за ними закрывалась, реостаты усиливали освещение. Олег огляделся. Перед ними были две небольшие распашные стеклянные двери. Откуда-то сверху лился ровный дневной свет и немного пахло озоном. Это место чем-то напоминало последнее место работы отца перед началом перестройки. Главврач прошел внутрь и жестом пригласил Олега.

Увиденное там потрясло Зимина. Мало того, что в центре зала стояло два суперкомпьютера «Крэй», каждый из которых был в состоянии просчитывать погоду на целой планете или достоверно имитировать поведение частиц в ходе атомного взрыва, но к ним было пристыковано нечто, похожее на пульт управления галактических кораблей далекого будущего. Стены на высоту трех человеческих ростов были заняты множеством шкафов и блоков коммутации электронного мозга с каждым уголком Парка. В глубине огромного зала на разных уровнях мелькали огоньки, а на бесчисленных дисплеях мелькали символы и цифры. Олегу вспомнился какой-то зарубежный фантастический роман, где вот такой же робот руководил человеческим обществом, и вдруг он услышал ответ главврача на его невысказанный вопрос:

— Нет. Это всего лишь машина. Пока машина. Пойдемте дальше, Олег Николаевич!

Олег и его проводник шагнули вперед. Со звуком органного аккорда на полу зажглась полоса, приглашавшая шагнуть не нее. Перед каждым шагом управляющая система указывала светом следующую плитку, на которую следовало шагнуть.

— Зачем это? — спросил Олег.

— Машина не любит, когда люди проходят слишком близко к секторам, заактивированным в эту минуту. Поэтому и идем зигзагами. Но идем правильно.

На возвышении завиднелся внешне невесомый, почти призрачный пульт. Его, словно святыню, окружали огромные симметричные прозрачные щиты. Олег не мог понять — был ли это пластик, или спецстекло, или голографические проекции.

— Кто это конструировал, Александр Андреевич? — не отрывая взгляда от красивой картинки, спросил Олег.

— Наши с вами соотечественники. Бывшие и не бывшие. Олег Николаевич, да вы хоть понимаете, что технологический рывок Запада в начале девяностых обеспечили безработные и беглые ученые из Советского Союза? Мы просто нашли некоторые особо светлые умы и просто как следует им заплатили...

Главврач помолчал и продолжил:

— Вся эта красота работает в автоматическом режиме. Люди здесь бывают редко. Но снаружи охранников — как у Белого дома.

— Их или нашего?

— Да хоть обоих, — весело ответил врач.

— Вы умеете работать с этой системой?

— Очень неуверенно. Здесь нужен человек технического склада ума. Может быть, у вас лучше получится.

Олег принялся напряженно изучать систему нотации и расположения кнопок, и попытался вспомнить институтский курс по архитектуре организации многопроцессорных компьютеров. Слава богу, лекции Альберта (или, как его звали студентки) Аборта Константиновича засели в мозгу накрепко.

Олег нажал последовательность из трех клавиш, а потом — высветившуюся красную кнопку. В воздухе вспыхнула спроецированная на невидимую пластину надпись: «Введите код!»

Зимин повернулся к главврачу:

— Код! Мне нужен код! Вы должны его знать!

И вот тут стало ясно, что насчет плохого знакомства с начинкой чудо-компьютера Анатолий Александрович слегка приврал. Он немного помедлил, потом огляделся, словно искал откуда-то помощи или подсказки, и, наконец, достал из внутреннего кармана пиджака тоненькую серебристую коробочку, похожую на визитницу.

Олег повозился с микроскопической защелкой. Конечно, открывать ее нужно было совсем не трясущимися в спешке руками, и оттого почти прозрачная пластинка из легкого металла, скрывавшаяся внутри, едва не улетела на пол. Главврач сделал страшные глаза, но потом убедился, что ключ-код не поврежден.

— Вставляйте!

— Куда?

— Там есть прорезь.

Анатолий Александрович явно хотел, чтобы главное решение Олег все-таки принял сам. Зимин не стал возмущаться. Время было дороже.

После того, как система предоставила ему общий доступ, работать стало проще. Все-таки конструкторы сверхсложных машин понимали, что мало кто из смертных может удержать в голове всю мешанину нужных кодов и последовательностей клавишных нажатий. Иногда в воздухе вспыхивали подсказки, в одном особо сложном случае после небольшой паузы компьютер сам начал высвечивать элементы схемы, в которых нужно внести изменения для полной активации.

Наконец начался самый сложный этап — взаимодействие с центральным процессорным блоком. Олегу показалось, что внутреннее кольцо из прозрачных листов развернулось вместе с платформой на 90 градусов. В воздухе вспыхнула призрачная фигурка японки в кимоно. Олег подумал: «Вот он, блин, маркетинг. Проектировали систему наши, но комплектующие-то японские. Чудо техники...»

А тем временем голографическая проекция механическим японским голосом поинтересовалась:

— Добрый вечер! Представьтесь! Введите ваш голосовой код!

Олег растерянно развел руками. Главврач кашлянул и ответил:

— Добрый вечер! Это я, Александр Анатольевич!

— Рука не ваша. Кто сегодня работает на клавиатуре?

— Извините, не представил. Это наш новый сотрудник, Зимин Олег Николаевич.

— А в чем причина смены партнера и перехода на ручное управление?

— Простите за беспокойство, но необходимо Олега Николаевича срочно ввести в дело. Лариса Яковлевна уезжает на повышение квалификации... Своей...

Олег тем временем выполнял команды, которые компьютер отдавал ему параллельно с ведением беседы. В основном это были запросы по техническим параметрам работы и модификации систем Парка. Получалось, что во многом весь этот гигантский механизм был отражением системы взглядов и мироощущения оператора интерфейса. «Да, любопытной женщиной была эта Лариса Яковлевна», — подумал Олег, перейдя к разделу по тонкой настройке «колхоза».

Тем временем главврач и машина обменялись еще парой реплик. И, наконец, голографическое изображение спросило:

— Введите информацию о себе.

Олег оторвался от пульта:

— Извините, что не представился. Я — Олег Зимин.

— Очень приятно. Чем могу быть полезна?

— Я хотел бы выявить возможности загрузки новых аттракционов. Хватит ли мощности, если задействовать все программы одновременно?

Олегу показалось, что интонация компьютера неуловимо изменилась. Похоже, искусственный интеллект кое-чему научился у своей бывшей хозяйки.

— Не смешите меня. У нас тройной запас как по мощности, так и по защите.

— Вы позволите познакомиться с резервными контурами лично?

— Милости просим...

Олег заметил, как целый ряд верхних маршрутизаторов вдоль стен отключился от активного режима.

— Вы в режиме ручного управления... Вся ответственность на вас...

Наверное, пафосность этой фразы компьютера должна была бы вызвать судороги у какого-нибудь «шестидесятника». Но Олег был человеком компьютерной эры и воспринял ответ машины как обычную озвученную строку программного кода. Пластины вокруг него начали изменять положение в такт его действиям, и он словно дирижировал ими, но сам этого не замечал. И, наконец, сработало. Включился защищенный канал связи с диспетчерской.

Когда на мониторе перед Робертом появилось улыбающееся лицо Олега, физрук практически отключился от внешней реальности. Он не обращал внимания ни на доносящиеся со всех сторон крики, ни на фантасмагорическое прсутствие одного и того же персонажа на всех дисплеях в Центре. А Олег подмигнул:

— Ну что, соскучились по мне?

Роберт попытался что-то сказать, но выдавил из себя лишь шипение. Этот звук отрезвил его, и он все-таки смог связно обратиться к ехидному диспетчеру.

— Где он?

— Это же наш компьютерный центр! — вглядевшись за спину Олега, ахнул диспетчер.

Олег кивнул:

— Правильно! Компьютерный центр. Молодцы, японцы! Совершенно изумительное решение.

На Роберта накатила волна истерической активности. Он вскочил, опрокинув кресло и рявкнул:

— Охрана! В компьютерный!

Олег пожал плечами:

— А вот это совершенно неправильное решение. Если кто сюда сунется, я разнесу это великолепное логово к чертовой матери.

Роберт стоял спиной к экрану, чтобы Олег не видел его лица. Вдруг кто-то с изумленным криком хлопнул его по плечу. И очень зря. Взбешенный физрук врезал наглецу почти вслепую и лишь потом заметил, что за долю секунды до удара бедолага-диспетчер показывал на экран. Теперь уже пришла очередь Роберта удивляться. Из-за спины Олега вышел главврач.

— Да успокойтесь вы, Роберт! Мало вам неприятностей?

Роберт пригнулся к экрану:

— Заткнись, козел! Потом с тобой поговорим.

Олег увидел, как зависшее в воздухе лицо Роберта повернулось к нему:

— Что ты там разнесешь?

Зимин усмехнулся и тоже приблизил лицо к невидимой камере:

— Да все! Вы же возможностей вашей техники не знаете, дикари! Вот, например, трактора, которые у вас целину пашут...

На мониторы пошла картинка из павильона «целины». Тракторы неожиданно запустили двигатели. А Олег продолжал:

— Чуточку меняем их программу... И это уже грозное оружие, которому все равно, кого и что перепахивать.

Повинуясь командам из компьютерного центра, тракторы перестраивались в атакующий танковый клин.

— А ракета, на которой Миколу катали? Она, конечно, до космоса не долетит. Но до ваших тупых голов запросто!

Олег замолчал и начал переключать какие-то невидимые Роберту клавиши. Когда из дюз вырвалось небольшое пламя, по диспетчерской пронесся испуганный вздох. Главврач за спиной Олега тоже перепугался:

— Нет, нет! Остановите! Пожалуйста!

Олег кивнул. Ракета начала затихать. Он видел, что Роберт неотрывно смотрит на него и ждет каких-то еще доказательств, а может быть, даже и просчитывает в голове, как быстро нейтрализовать трактора и ракеты. И тогда Зимин продолжил:

— ...Но главное — просто замечательная штука — искусственный климат... Что вы из него используете? Солнышко, дождик, гроза на целине? А молния, между прочим, может ударить не только в бутафорский бензовоз...

В подтверждение его слов на пульте у Роберта вспыхнуло изображение «стекляшки». Одним нажатием кнопки Олег низверг на пустое пока «гнездо хануриков» библейскую кару с ясных небес. Надо сказать, картинка получилась впечатляющая. Зимин подумал, что общества трезвости удавились бы за такой видеоряд к рекламному ролику.

«Повторить, что ли?» — подумал было он, но потом остановил себя. Время резвиться еще не пришло. Тем более что лицо Роберта перекосилось, и он бросил кому-то невидимому за пределами объектива веб-камеры:

— Взять мерзавца! Живым или мертвым!

«Э нет, ребятки!» — решил про себя Олег и быстро набрал еще одну комбинацию. Мощный раскат грома остановил бегущих к выходу с центрального пульта охранников. У входа по-заячьи закричал дежурный. Олег вкрадчивым голосом поинтересовался:

— Как вам нравится шаровая молния, например? Люблю грозу в начале мая!.. Редкое замечу, явление природы!.. Так что, еще поддать? Я ведь и мощность могу менять. Это было четыре кило тротилового эквивалента. Надеюсь, до килотонн не дойдем?

Олег выгнал на экран внешне безобидное компьютерное меню со схематично изображенными облачками, капельками и сияющим солнышком и совершенно дурашливым тоном заявил:

— Послушайте, парни, а тут еще есть цунами, землетрясения, тайфуны... Могу показать.

На экране появились реалистичные трехмерные модели с расположившимися по углам «бегунками» настройки. Легкое движение компьютерной мышки — и волна увеличилась в два раза. Еще одна настройка — и возросла ее скорость. Для вящего эффекта Олег сменил на экране модель на кадры реального цунами в Таиланде.

— Ну что? Жертвами каких стихийных бедствий желаете стать?

Роберт стиснул зубы.

— Чего ты хочешь?

Олег изобразил деланное удивление:

— От тебя? Ничего. Чтобы спалить ваш гребаный заповедник, мне твоя помощь не нужна.

Видя, что Зимин действительно входит в мальчишеский раж противостояния, за его спиной зашевелился главврач.

— Олег Николаевич! Мы же с вами — интеллигентные люди...

Роберт огляделся. Вокруг него стояли... да, стояли убогие ничтожества с бледными от страха лицами. Он умел чувствовать настрой толпы. Эти люди уже были готовы его предать, как предал его главврач. Просто им, в силу менее тонкой душевной организации, нужно было больше спецэффектов и наглядности. Журналюга переиграл Роберта на его же поле. Пока он умел лучше обращаться с картинкой и давить на нужные клавиши в нужные моменты. Но и проигрыш нужно было сделать понятным и постижимым для плебса. Роберт пожал плечами:

— Ладно. Считай, ты победил. Можешь забирать свою девку и проваливать.

Олег тоже почувствовал эту ловушку. Главврач тоже повел себя не лучшим образом. Он вдруг начал по-женски причитать у него за спиной:

— Он согласен! Он извиняется и говорит, что больше не будет!

Роберт отошел от экрана. Напряжение сменилось на лицах окружавших его людей косыми и сальными ухмылками. Они уже больше не смотрели на Зимина как на живое воплощение Бога, способное повелевать молниями и стихиями. Роберт вспомнил: в шахматах это называется «размен качества». Опасная логика противостояния титанов сменилась в умах его подручных простой и понятной драматургией обычной ссоры двух сантехников на коммунальной кухне из-за смазливой соседки.

Теперь Олег явственно осознавал, насколько сильным противником на самом деле был Роберт. Но надо было идти до конца. Он скомандовал в микрофон:

— Значит, так. Алену и подготовить броневик! Начинаем процедуру прощания. И никаких глупостей! Дистанционный пульт со мной, и палец мой на кнопке...

Роберт сел в кресло и сделал вид, что все дальнейшее его просто не касается.

Тем временем Олег с главврачом начали долгий путь из компьютерного центра на выход. Когда Олег ускорил шаг еще больше, Александр Анатольевич взмолился:

— Олег Николаевич! Вы бы заблокировали от греха подальше это ваше землетрясение... А то случайно кнопочку нажмете, а у нас японские инвесторы в главном корпусе отдыхают.

— Японские инвесторы к землетрясениям привычны. Переживут. А блокировку поставлю, когда покину пределы вашего гостеприимного заведения.

Но главврач не унимался:

— Ну отключите землетрясение! Прошу вас! Это ведь не шутка!

— А жизнь вообще не шутка, Александр Анатольевич. От нее иногда умирают. Я все отключу, когда мы будем в безопасности.

Олег с удивлением понял, что провел в компьютерном центре всю ночь. Уже светало, хотя час был ранний. Не покидало ощущение победы в странной компьютерной игре-«стрелялке». Или «бродилке». С великолепной анимацией и круто закрученным сюжетом. Быть может, эту иллюзию его мозг подсунул ему, чтобы избавить хозяина от мыслей о надвигающемся возвращении в ноябрьскую слякоть реального мира. Впрочем, место для «передачи пленных» Роберт тоже подобрал не без вкуса. Олег и главврач по мокрой от росы тропке среди зарослей дошли до огромной доски с красно-белыми курортными шахматами. Там, на том же месте, где всего два дня назад стоял великий гроссмейстер Анатолий Карпов, прогревал моторы ленинский броневичок «Рено». Олег улыбнулся про себя, внезапно вспомнив, как он много лет назад так и не смог доказать туповатому прапорщику их десантной части три простых факта из истории Октябрьской революции. Прапор не верил, что броневик был не «зиловский», что Разлив в начале века был для питерских дачников чем-то типа сегодняшних Переделкино или даже Барвихи и что Ленин за неделю до революции чисто побрился. Миф есть миф — особенно если его упорно насаживать в умах. Так что Роберт совсем недалеко отошел от кинематографической правды, снабдив Олега механиком броневика, как две капли воды похожим на товарища Гиля. Только вот водил-то мол-

чаливый латыш, не снимая кепки, краг и мото-
циклетных очков, «Роллс-Ройс» вождя, реквизи-
рованный в императорском гараже, а не эту кле-
паную из бронелистов тарантайку.

Все эти размышления покинули Олега, когда он увидел, как с боковой тропинки к шахмат-
ному ристалищу, сияя от совершенно неподдель-
ной радости, подходят Микола, Адмирал и Алена. Девушке улыбка давалась с трудом. Ее кра-
сивое лицо было порядком обезображено крово-
подтеками и ссадинами.

С противоположной стороны на боковину доски энергичными шагами вышел Роберт и деся-
ток его мордоворотов-дружинников. Теперь им
было совсем не обязательно прятать свое наглое
презрение к простым гражданам за любезными
масками, и от этого они еще больше походили
на ряженых. Увидев эту процессию, главврач
начал отходить от Олега и постепенно сместил-
ся на некую центральную позицию между про-
тивоборствующими сторонами.

Олег обнял Алену и вдруг каким-то шестым
чувством ощутил, что, по всей вероятности, Алену не только били. Там, на свободе, шрамы на ее
прекрасном лице скоро заживут, а вот шрамы на
душе... Он посмотрел на Роберта. Тот совершенно глумливо улыбнулся ему и сделал издеватель-
ский жест ладошкой, будто говоря «Пока-
пока!». Олег принял решение. Пульт управления
перекочевал в руки Алены. Олег пояснил:

— Подержи, пожалуйста. На эту кнопку постарайся не нажимать, пока я не попрошу.

Твердое покрытие шахматной доски пружинило под ногами, но не скользило. Олег быстрым шагом проскочил между фигурами и мощным ударом в нос свалил Роберта на землю. Теоретически физрук вполне мог поставить блок или уклониться от легко читавшегося замаха Зимина, но не сделал этого. Инерция удара швырнула его на большого гипсового «слона» с лицом Карла Маркса. Пустотелая фигура раскололась надвое. Олег хмыкнул и, удовлетворившись результатом, зашагал обратно к Алене. Роберт оправился от удара и, харкнув кровью на белый песок, прыгнул Олегу на спину. Дружинники было рванулись ему на подмогу, но главврач жестом остановил их. На этот раз они подчинились. С другой шахматной доски, взвившегося было Миколу придержал Адмирал. Олег сбросил Роберта с загривка, сокрушив еще три фигуры. При этом два разъяренных мужчины в схватке кололи на части и красных, и белых. И вот тут Роберта подвел все тот же сломанный нос. Его глаза на секунду расфокусировались от тщательно сдерживаемой боли — и Олег ударил прямым с правой. Точно в челюстной узел противника. По неписанным законам бокса, если такой удар блокируется, то у атакующего шансов закрыться уже нет. Но если он проходит — это чистая победа нокаутом. Так и произошло.

Наконец среди белой гипсовой пыли осталась только одна целая фигура — монументальный ферзь-Сталин. Олег посмотрел на уцелевшего идола и несильно толкнул его рукой. Огромная фигура упала, разлетевшись на мелкие кусочки. Это был настоящий финал. Олег оглядел поле боя. Охранники качали головами и что-то тихо обсуждали. Вряд ли они поняли весь дешевый символизм его схватки с Робертом на импровизированной красно-белогвардейской арене. Скорее, практичные любители силовых единоборств смаковали подробности увиденного боя.

«Не фига я не Рокки Бальбоа... — подумал про себя Олег. — Да и Роберт на Ивана Драгу не тянет».

Дальше все развивалось согласно законам того же жанра. Водитель завел броневичок, Олег обнялся с Миколой и Адмиралом и, взяв за руку Алену, без слов сел с ней в машину.

Ворота медленно открылись из вечного лета в подмосковную осень. Броневик еще не успел полностью выехать за ворота, как по капоту ударили первые капли дождя. Олег оглянулся. Сквозь узкую щель заднего бронестекла он увидел, что Петрович стоит у будки и смотрит вслед, отдавая ему честь как победителю, который как всегда прав. Ворота начали медленно закрываться. Шофер вышел из машины и молча направился обратно в Парк. Однако ключ в замке зажигания он все-таки оставил.

Броневик со счастливыми влюбленными катил по раскисшей проселочной дороге. Впереди был тот мир, та Москва и та Россия, которую Олег и его друзья создали для себя. Алена прижималась к плечу уверенно рулившего Зимина, а он от полноты чувств улыбался во весь рот.

Внезапно из-за перелеска вылетело четыре огромных черных джипа «Шевроле-Тахо». Вырывая из влажной земли огромные куски земли, они развернулись поперек дороги и отгородили броневичку все пути объезда по целине. Алена замерла.

Сначала в грязь спрыгнула дюжина рядовых бойцов в черной коже с нешуточными помповыми стволами. Тимур, как человек, вынужденный по жизни общаться с богемой и телевидением, тоже усвоил некоторые привычки подведомственного контингента. Сначала у его машины съехало вниз стекло. Из салона вырвался дикий вой Кати Лель про «джагу-джагу» и «надо-надо». И лишь спустя несколько секунд маленький горец вылез на ступеньку машины. Музыка стихла.

Олег и Алена тоже вышли из броневика. Девушка, дрожа, прижалась к Зимину. Он обнял ее за плечи. Тимур помрачнел.

— Игры закончились, Олег Николаевич! А чтобы ты не идиотничал, девка поедет с нами. Твой хвалебный репортаж должен через три дня быть в эфире. Понял? Через три дня! Потом я решу, что с вами обоими делать.

Тимур кивнул головой. От группы сопровождения отделились два особенно страхолюдных здоровяка и направились к броневичку. Особенно Олега взбесил тот взгляд, которым более мощный боевик смотрел на Алену.

И вдруг из-за небольшого холмика, поросшего нечастым березнячком, оставшегося чуть справа от дороги, донесся резкий звук армейского рожка. Тимур недовольно посмотрел в сторону. Олег не отваживался поворачиваться, но он видел, как амбалы замедлили шаг на полдороге, а Тимур гортанным голосом что-то спрашивает в телефонную трубку. Труба за спинами играла все громче и громче, и наконец Олег и Алена увидели, что происходит. Из-за перелеска вынеслась на рысях Первая конная армия. Впереди, на лихом коне, несся с шашкой наголо легендарный комдив Чапаев. Рядом — комдив Кантемиров. За ними — Петька. На его руке, крепко сжимавшей древко Красного Знамени с надписью «1 Конная», даже в пасмурном свете ноябрьского дня поблескивал все тот же «Вашерон Константин». А за ними разворачивалась конная лава. И были в ней и Микола с Адмиралом, и конники-каскадеры, и уважаемые отдыхающие из павильона «Минеральные воды», и, как показалось Олегу, даже японские инвесторы во главе с их предводителем самураем, раздобывшим откуда-то меч-катану. И зрелище этой неудержимой атаки было столь знакомо

Олегу, что он даже не пытался понять — придумал ли кто-то из бесконечных затейников Парка новое развлечение для отдыхающих или все это — искреннее желание им помочь. Он только услышал, как Алена шепчет со счастливой улыбкой и слезами на глазах:

— Наши! Наши! Наши!!!

И когда рожок горниста протрубил уже совсем близко и можно было различить и взмыленные морды коней, и брызги грязи из-под копыт, Тимур что-то скомандовал своим подручным. Они моментально убрались с дороги в джипы, и тяжелые автомобили начали набирать скорость, отъезжая прочь. Олег и Алена даже не пытались выйти навстречу бешено накатывающей конской лаве. Атакующие пронеслись мимо них вслед за громадными черными коробками джипов и настигли их. Бронированные стекла выдержали удары шашек и мечей, но на металле крыш от булатной стали остались глубокие полосы. И что удивительно — ни один из конников не вернулся к тем, ради кого, собственно, и шли они в атаку. Конная лава и джипы растаяли в дождливой измороси этого утра, словно диковинные куски сахара. Олег и Алена все так же стояли посреди поля одни рядом с броневиком.

Зимин и Алена молча, не переговариваясь между собой, ехали навстречу неизвестности. Очень скоро следы огромных шин и конских копыт ушли куда-то в сторону и затерялись в глубине подсыпанной гравийными заплатками лесной дороги. Дальше открывалось бескрайнее поле. Олег выехал на него, понимая, что продолжение молчаливого пути становится уже неприличным.

И вдруг Алена сама нарушила тишину:

— Смотри!

Олег глянул перед собой. По проселку медленно продвигалась гигантская автоплатформа, похожая на те, что и поныне возят ракеты стратегического назначения. На ней возвышался огромный предмет, покрытый брезентом. По краям платформы, еле удерживаясь на ухабах, стоял почетный караул из четырех пионеров в одинаковых пилотках и синих курточках. Броневик неумолимо приближался к чудовищному тягачу. Наконец, Олег услышал, как гигантский мотор спереди рыкнул и затих. Он выглянул из двери броневика. Шофер автоплатформы сделал то же самое. Щурясь от лучей случайно выглянувшего из-за туч солнца, он почесал под ватником грудь и спросил:

— Друг, эта дорога ведет в «Парк советского периода»?

Олег кивнул:

— Почти приехали. А что везем?

— Да не поверишь! Мавзолей.

Олег глянул на мокрый брезент и недоверчиво переспросил:

— Мавзолей? Вместе с ним?

Шофер засмеялся:

— Нам нынче детали не докладывают. Наше дело — баранку крутить и следить, чтоб накладные подписали. А там — хоть с ним, хоть с ними со всеми!.. Ну, бывай, брат!

Вырулив по пашне вокруг тягача, Олег бросил взгляд в зеркало заднего обзора. И вдруг ему показалось, что почетный караул состоит не из пионеров, а из очень немолодых лилипутов, салютующих ему привычным с детства салютом.

А на пульте броневика безостановочно мигала красная тревожная надпись:

*«Автоматическое управление отключено.
Вся ответственность на ВАС!»*

Эдуард Акопов
Юлий Гусман
Алексей Козуляев

ПАРК СОВЕТСКОГО ПЕРИОДА

Издатель *Н. Старостина*
Технический редактор *В. Ерофеев*
Верстка *С. Чорненький*
Корректор *О. Водовозова*

Подписано в печать 27.10.06. Формат 84×108 $^1/_{32}$.
Тираж 7000 экз. Заказ № 3837.

Общероссийский классификатор продукции ОК-005-93,
том 2; 953000 — книги, брошюры

Гигиеническое заключение
№ 77.99.02.953.Д.006738.10.05 от 18.10.2005 г.

ЗАО «Издательский Дом ГЕЛЕОС»
115093, Москва, Партийный переулок, 1
Тел.: (495) 785-0239. Тел./факс: (495) 951-8972
www.geleos.ru

Издательская лицензия № 065489 от 31 декабря 1997 г.

ЗАО «Читатель»
115093, Москва, Партийный переулок, 1
Тел.: (495) 785-0239. Тел./факс: (495) 951-8972

Отпечатано в ОАО «Рыбинский Дом печати»
152901, г. Рыбинск, ул. Чкалова, 8.

Петр Гладилин
Оксана Байрак
Лев Рыжков

АВРОРА
или Что Снилось Спящей Красавице

Шокирующая и вместе с тем чарующая история любви и дружбы. История, поражающая в самое сердце глубокими человеческими чувствами. Все мы на самом деле лучше, чем хотим быть. Для того чтобы понять это, нужно лишь встретить человека, который откроет тебе самого себя...

GELEOS

ГРАФ КРЕСТОВСКИЙ

Граф Крестовский

У него было все, что нужно для счастья, — верные друзья, красавица-невеста, любимое дело... В двадцать лет он лишился всего, заживо похороненный в тюремной камере. И встал из могилы, неся возмездие. Вечный сюжет, воплощенный в наши дни. Во времена крушения границ и устоев, когда только любовь дает человеку силы.

GELEOS

ПО ВОПРОСУ ОПТОВОЙ И МЕЛКООПТОВОЙ ПОКУПКИ КНИГ ИЗДАТЕЛЬСТВА «ГЕЛЕОС» ОБРАЩАТЬСЯ ПО АДРЕСУ:

Москва:
ЗАО «Читатель»
(отдел реализации издательства)
115093, г. Москва,
Партийный пер., д.1
тел.: (495) 785-02-39,
факс (495) 951-89-72
e-mail: zakaz@geleos.ru
Internet: http://www.geleos.ru

Воронеж:
ООО «Амиталь»
394021, г. Воронеж,
ул. Грибоедова, 7а
тел.: (4732) 26-77-77
e-mail: mail@amital.ru

Казань:
ООО «ТД «Аист-Пресс»
420132, Республика Татарстан,
г. Казань,
ул. 7-я Кадышевская, д.9б,
тел.: (843) 525-55-40, 525-52-14
e-mail: sp@aistpress.com

Краснодар:
ЗАО «Когорта»
350033, г. Краснодар,
ул. Ленина, 101
тел.: (8612) 62-54-97,
факс (8612) 62-20-11
e-mail: kogorta@internet.kuban.ru

Пермь:
ООО «Лира-2»
614036, г. Пермь, ул. Леонова, 10а
тел.: (3422) 26-66-91,
факс (3422) 26-44-10
e-mail: lira2@permonline.ru

Ростов-на-Дону:
ООО «Сеть книжных магазинов
«Магистр»
344006, г. Ростов-на-Дону,
пр. 1-й Машиностроительный, 11
тел.: (863) 266-28-74,
факс (863) 263-53-31
e-mail: magistr@aaanet.ru
Internet: http://www.booka.ru

Санкт-Петербург:
ООО «Северо-Западное
книготорговое объединение»
192029, г. Санкт-Петербург,
пр-т Обуховской обороны, д. 84
тел.: (812) 365-46-04, 365-46-03
e-mail:books@szko.sp.ru

Самара:
Книготорговая фирма «Чакона»
443030, г. Самара, ул. Чкалова, 100
тел.: (8462) 42-96-28,
факс (8462) 42-96-29
e-mail: commdir@chaconne.ru
Internet: http://www.chaconnre.ru

Уфа:
ООО ПКП «Азия»
450077, г. Уфа, ул. Гоголя, д.36
тел.: (3472)50-39-00,
факс (3472) 51-85-44
e-mail: asiaufa@ufanet.ru

Украина:
Книготорговая фирма «Визарди»
г. Киев, ул. Вербовая, д. 17, оф. 31
тел.: 8-10-38 (044) 247-42-65,
247-74-26
e-mail: wizardy@inbox.ru

Беларусь:
ТД «Книжный»
г. Минск, пер. Козлова, д. 7в
тел.: 8-10-375-(17) 294-64-64,
299-07-85
e-mail: td-book@mail.ru

Израиль:
P.O.B. 2462, Ha-Sadna st., 6,
Kefar-Sava, 44424, Israel
тел.: 8-10 (972) 766-88-43, 766-55-24
e-mail: michael@sputnic-books.com

**Книги издательства «Гелеос»
в Европе:**
«Fa. Atlant». D-76185 Karlsruhe
тел.: +49(0) 721-183-12-12,
721-183-12-13
факс: +49(0) 721-183 12 14
e-mail: atlant.book@t-online.de;
Internet: http://www.atlant-shop.com

*Самая достоверная информация о выходе новых книг
на ежедневно обновляемом сайте www.geleos.ru*